Expériences de mort imminente

Du même auteur

Et si on parlait des miracles…, Presses de la Renaissance,
Paris 2004 (2ᵉ édition).
*Le témoignage incroyable d'un pèlerin, René Le Ménager,
à Lourdes il y a cent ans*, Atlantica, 2008.
*Une nouvelle approche biomédicale des maladies chroniques :
l'endothérapie multivalente*, (avec le Dr Michel Geffard,
directeur de recherche à l'INSERM), F-X de Guibert,
Paris 2003 (2ᵉ édition).
Lourdes : des miracles pour notre guérison,
réédition, Parole et Silence, Paris, 2016.

Directeur de publication

Être chrétien aujourd'hui dans sa pratique médicale,
Actes Congrès, 2005. Parole et Silence/NDL.
Être médecin et chrétien aujourd'hui, Actes Congrès, 2007.
Parole et Silence/NDL.

En collaboration

Dictionnaire des miracles et de l'extraordinaire chrétiens,
Fayard, 2002.
Lourdes de A à Z, Nouvelle Cité/NDL, 2008.
Merveilles de Lourdes : 150 histoires, Mame/Magnificat/NDL, 2008.
Enquête sur les miracles. Pour la nouvelle évangélisation,
Editions du Jubilé, 2015.

© 2015, **Groupe Artège**
Éditions Artège
10, rue Mercœur - 75011 Paris
9, espace Méditerranée - 66000 Perpignan
www.editionsartege.fr.
ISBN : 978-2-36040-374-5

Patrick Theillier

Expériences de mort imminente

ARTÈGE

C'est en compagnie de Mariam « la petite arabe »
que j'ai écrit ce livre.
Elle a été canonisée par le pape François le 15 mai 2015
au moment où je le terminai. Je le lui dédie.

À mes parents, Marc et Liliane, et à mes beaux-parents,
Paul et Colette, vivants au-delà du voile...
À mes petits-enfants, tous bien vivants
ici et maintenant, Dieu soit béni !
Jean-Baptiste, Élisabeth, Marie-Liesse, François, Félicité,
Pierre, Edmée, Albert, Rémi, Philomène, Basile, Grégoire,
Madeleine, Bernadette, Armand, Joséphine, Louis, Henri,
Gabrielle, Geneviève, Aminthe, Joseph, Marthe, Marie,
Augustin, Étienne, Jacques, Jean, Ambroise, Philippe,
les deux qui sont encore dans le ventre de leurs mères,
et ceux à venir...

Je souffrais. Je souffrais sans que rien de tangible ne soit cause de cette souffrance. Certains possèdent le don de vivre sans s'interroger sur ce qu'ils sont, ni sur le monde qui les entoure. Moi, j'étais dévoré de questionnements et ma frustration n'avait d'égal que ma soif de comprendre. En vérité, je rêvais du jour où j'arriverais à me convaincre, tâche ô combien difficile, qu'il n'existait pas de naissance sans mort, ni de mort sans renaissance. À cette double condition, vivre trouverait un sens...

Gilbert Sinoué
La nuit de Maritzburg

J'ai côtoyé la mort pendant des années et pourtant je ne sais rien d'elle, sinon qu'elle m'a privée de ceux que j'ai le plus aimés. M'attendent-ils quelque part? Je veux le croire et je n'ai pas peur. Car si personne ne nous attend de l'autre côté du temps, s'il n'y a rien pour nous recevoir, nous ne le saurons pas et n'en souffrirons pas. Mais si nous sommes accueillis, au contraire, ce sera sans doute la plus belle fête qui nous sera accordée. Dans l'espérance de ces retrouvailles, je vais m'y préparer comme pour des noces éternelles.

Christian Signol
Tout l'amour de nos pères

Non je ne mourrai pas, je vivrai, et publierai les œuvres du Seigneur.
Ps 117, 17

En vérité, je te le dis, aujourd'hui tu seras avec moi dans le Paradis.
Lc 23,41

La Vie éternelle, c'est de te connaître, toi, le seul Dieu…
Jn 17, 3

En vérité, en vérité, je vous le dis, vous verrez le Ciel ouvert et les anges de Dieu monter et descendre au-dessus du Fils de l'homme.
Jn 1, 51

Je ne meurs pas, j'entre dans la Vie !
Thérèse de Lisieux

Préface

Le Docteur Patrick Theillier connaît bien les phénomènes surnaturels. Comme médecin du bureau des constatations médicales de Lourdes, ce catholique convaincu et engagé a travaillé pendant dix ans à vérifier scientifiquement, avec l'aide d'équipes de médecins pas nécessairement croyants, le caractère inexplicable humainement de guérisons obtenues par l'intercession de Notre-Dame de Lourdes et soumises à son examen. Nombre de ses conclusions ont permis à l'Église de reconnaître d'authentiques miracles. Une guérison inexpliquée est déclarée miracle dès lors que l'autorité ecclésiale compétente y reconnaît un signe, manifestant concrètement la Puissance d'amour de Dieu dans la vie des hommes, et à même de fortifier la foi du Peuple chrétien.

Dans le présent ouvrage, le Docteur Theillier se penche sur ce que l'on appelle communément en anglais «NDE», c'est-à-dire *Near Death Experience*, et que l'on traduit en français par «EMI», «Expériences de Mort

Imminente ». Depuis des décennies, on recense de très nombreux témoignages et il existe une littérature abondante sur le sujet. Les témoins les plus divers, dans toutes les cultures, pas nécessairement convaincus a priori de l'existence d'un au-delà de la mort, rendent compte avec précision de ces phénomènes étranges à l'approche de la mort, de telle sorte que l'on puisse établir aujourd'hui une typologie pertinente et que l'on ne saurait rejeter sans examen approfondi.

En homme de science averti, le Docteur Theillier commence par établir la crédibilité des témoignages qu'il a recueillis. Puis il les passe au crible des acquis de la science moderne pour en déterminer l'objectivité scientifique. Les ressources de l'anthropologie judéochrétienne lui permettent de mieux définir ces expériences et d'en établir la compatibilité avec la foi. S'il est bien établi dans l'Écriture que nul ne peut revenir de la mort, à moins d'un miracle, comme la résurrection-réanimation de Lazare (*cf.* Jn 11), où l'on peut attester que l'âme spirituelle était bien séparée du corps – « Il sent déjà : c'est le quatrième jour » (Jn 11, 39), on peut conclure à des expériences, non de mort métaphysique, mais d'approches d'un au-delà de la mort.

Qui ne verrait dans cet ouvrage, l'opportunité d'une apologétique pour notre temps ? Dans une société sécularisée, où l'on vit comme si Dieu n'existait pas, et où l'on se satisfait à si bon compte d'une science et d'une technique qui prétendent tout expliquer et tout organiser de la vie des hommes – le totalitarisme de la technoscience –, on se heurte paradoxalement de plus en plus à l'inexplicable. Et l'athéisme théorique et pratique, professé par le laïcisme ambiant, au nom des progrès de la science et de la technique, fait le lit de l'irrationnel dans nos sociétés dites évoluées : poussées de violence aveugle, montée de l'Islam radical, foisonnement de l'ésotérisme

Jusque dans la célébration des funérailles chrétiennes, il ne manque pas de signes qui manifestent que l'on veut occulter la mort, dernier rempart contre la toute-puissance de la raison et de la science : qui n'a pas entendu, en effet, ici ou là, le fameux texte faussement attribué à saint Augustin ou à Charles Péguy : « La mort n'est rien » ? Comme si l'on voulait exorciser à peu de frais l'angoisse que la mort provoque de manière croissante aujourd'hui. S'il est bien une chose que l'on ne peut contester, c'est que la mort existe, et ces expériences de mort imminente, passées aux cribles de la science et de la foi, peuvent en effet ouvrir l'intelligence et le cœur de nos contemporains à l'existence d'une vie après la mort, et du même coup les rendre disponibles à l'annonce du Christ mort et ressuscité.

Sans doute la foi en la Résurrection est-elle un don de Dieu, une illumination de l'esprit qui nous fait adhérer au Mystère révélé, non en vertu de l'expérience des sens ou du raisonnement, mais précisément à cause de Dieu lui-même se révélant : « Ce n'est pas la chair et le sang qui

t'ont révélé cela, mais mon Père qui est dans les Cieux»
(Mt 16, 17). Toutefois, l'Église a toujours reconnu que
nous avons besoin d'une évidence de crédibilité, pour
accueillir le don gratuit de la foi. C'est parce que Pierre
avait été disposé à croire par la prédication de Jésus
faite avec autorité les miracles accomplis en faveur des
hommes, la prière intime du Fils de l'homme donnant
à Dieu le nom de «Abba», c'est-à-dire Papa, qu'il ouvrit
progressivement son intelligence et son cœur à la grâce
de la foi: «Tu es le Christ, le Fils du Dieu vivant»
(Mt 16, 16). Comme l'écrit saint Thomas d'Aquin, si
la foi demeure un don qui n'a d'autre cause propre que
Dieu se révélant à l'intérieur du cœur de l'homme, il
faut cependant «voir qu'il faut croire»: c'est ce que j'ai
appelé plus haut une «évidence de crédibilité».

Le monde rationaliste et athée, dans lequel nous
évoluons aujourd'hui, a besoin d'évidences de crédibilité
pour disposer les hommes à poser l'acte de foi qui sauve!

Il ne fait pas de doute que Dieu, qui sait si bien
s'adapter à la nature de l'homme qu'il a créé, suscite
aujourd'hui de nouvelles évidences de crédibilité. Le
saint linceul de Turin est de cet ordre, qui a fait l'objet
d'études pluridisciplinaires sans précédent: la science se
heurte toujours, malgré ses investigations les plus poussées, devant ce qui reste une énigme et peut aider une
civilisation dite scientifique à franchir le pas de la foi
devant le Mystère. C'est parce qu'il a vu le linceul affaissé
à sa place, les bandelettes roulées à part à l'endroit de la

tête, que Jean a été disposé à croire : « Il vit et il crut »
(Jn 20, 8), il vit le linceul et il crut au Mystère de la
Résurrection, parce qu'il n'avait pas encore compris que
« d'après l'Ecriture, Jésus devait ressusciter d'entre les
morts » (Jn 20, 9). C'est Dieu se révélant dans sa Parole,
qui est la vraie cause de la foi du disciple bien aimé.
Mais il est mieux disposé à accueillir cette révélation par
l'observation du linceul affaissé.

Il en va de même pour les EMI. C'est dans le Mystère
du Christ ressuscité que l'homme, en quête d'une lumière
capable d'éclairer toute l'existence, trouve la réponse à la
question ultime de la mort et que rejoignent si bien ces
expériences rendant compte de manière quasi invariable
d'une lumière au bout d'un tunnel ! Toute la démarche
du Docteur Patrick Theillier consiste, en réconciliant la
science et la religion, la raison et la foi, à s'appuyer sur ces
phénomènes étranges pour donner à nos contemporains
comme des « évidences de crédibilité », à même de les
ouvrir à la foi dans le Mystère du Christ mort et ressuscité qui nous a promis la vie éternelle. En lecteur assidu
de l'Écriture qu'il fréquente dans la lecture croyante de
la Bible, il sait éclairer sa démarche, pas à pas, à l'aide
de la Parole de Dieu. Une fois encore se vérifie ici ce
mot de Pascal : « Soumission de la raison, grandeur de
la raison » ! Devant l'inexplicable, c'est la grandeur de
la raison que de se soumettre à la foi. La foi n'est pas
l'attitude de celui qui capitule devant l'inexplicable :
c'est l'attitude de celui qui accueille une Révélation plus

haute, sans laquelle la raison ne pourrait aller jusqu'au bout de sa quête insatiable de vérité ! Comme l'écrit saint Jean Paul II au frontispice de ce monument qu'est l'encyclique *Fides et Ratio* : « La foi et la raison sont comme les deux ailes qui permettent à l'esprit humain de s'élever vers la contemplation de la vérité. C'est Dieu qui a mis au cœur de l'homme le désir de connaître la vérité et, au terme, de Le connaître lui-même afin que, Le connaissant et L'aimant, il puisse atteindre la pleine vérité sur lui-même (cf. *Ex* 33, 18 ; *Ps* 27 [26], 8-9 ; 63 [62], 2-3 ; *Jn* 14, 8 ; *1 Jn* 3, 2). »

Assurément, le livre du Docteur Theillier est comme une brèche d'espérance, dans un monde fermé à la transcendance et dont la culture est caractérisée par un humanisme immanentiste. Comme l'écrit le Pape François dans sa lettre encyclique *Lumen fidei – La lumière de la foi* : « C'est seulement de Dieu, de l'avenir qui vient de Jésus ressuscité, que notre société peut trouver ses fondements solides et durables. En ce sens, la foi est reliée à l'espérance parce que, même si notre demeure terrestre vient à être détruite, nous avons une demeure éternelle que Dieu a désormais inaugurée dans le Christ, dans son corps » (n. 57).

Puisse cet ouvrage rejoindre tant et tant de nos contemporains, aux prises avec l'énigme et l'angoisse de la mort, et laisser Jésus ressuscité prononcer pour eux ces paroles adressées jadis à Thomas, l'apôtre incrédule : « Porte ton doigt ici : voici mes mains ; avance ta main et mets-la dans mon côté, et ne sois plus incrédule, mais croyant [...] Parce que tu me vois, tu crois. Heureux ceux qui croient sans avoir vu » (Jn 20, 27.29).

+ Marc Aillet
Evêque de Bayonne, Lescar et Oloron
29 juin 2015, en la Solennité des saint Pierre et Paul

Introduction

*Qui n'a pas un jour rêvé de visiter l'au-delà
et d'en revenir pour conforter son espérance
et illuminer son existence terrestre?*

Michel Aupetit

En ce début de siècle, la société occidentale ne veut plus entendre parler de la mort, effaçant tout ce qui la concerne jusque dans le vocabulaire : le mot lui-même est devenu tabou, on parle de « disparition » ou de « fin de vie ».

Pourtant, quoi que l'on fasse, malgré les progrès de la médecine et de la longévité humaine, nous savons bien que nous restons mortels, et que nous ne pouvons pas ne pas nous poser la question inscrite au cœur de tout homme : *Y a-t-il quelque chose après la mort ?* La mort est-elle vraiment la fin de la vie, la vie finit-elle définitivement avec la mort ?

Comment savoir ? Qu'est-ce qui pourrait nous éclairer ?

Les philosophies de la mort ne sont guère convaincantes, et ne nous apprennent pas à mourir... Ce sont les religions, à commencer par le christianisme, qui avancent des arguments sérieux qui permettent de croire que l'existence terrestre ne s'arrête pas avec la mort, qu'une vie continue, que nous retrouverons ceux que nous avons aimés en cette vie. Il faut cependant avoir la foi... alors on préfère un temps se réfugier derrière l'idée que, de la mort, *personne n'en est jamais revenu.*

Toutefois, que nous croyions au Ciel ou que nous n'y croyions pas, la question nous taraude : n'y a-t-il pas toujours au fond de nous ce germe d'espérance que la mort n'épuise pas notre vie ? Et si nous avions, malgré tout, ne serait-ce qu'un indice que la Vie est plus forte que la mort, est-ce que ce ne serait pas pour chacun de nous une très bonne nouvelle ?

Eh bien, à chaque époque de l'histoire, il est des *signes* à côté desquels il ne faut pas passer. Or, depuis maintenant 40 ans, il y en a un primordial, c'est le *signe* de ceux qui ont, semble-t-il, mis un pied dans l'au-delà et en sont revenus *in extremis*. Peut-on les croire ?

On sait qu'un signe relève surtout de la connaissance par le cœur, qu'il laisse toujours libre. Aussi faut-il l'examiner sérieusement, ce que nous proposons de faire ici.

Ce signe est donc celui de personnes – ordinaires, comme vous et moi –, déclarées en état de mort clinique, qui racontent s'être retrouvées dans un autre monde, un monde magnifique, qu'il leur a fallu quitter pour revenir sur terre... À partir de là, elles disent avoir vécu comme une seconde naissance : elles ne voient plus l'existence de la même façon, leur spiritualité s'est renforcée, elles mettent l'amour des autres à la première place, elles prennent conscience du caractère sacré de la vie et considèrent la mort comme en faisant partie, n'en ayant plus du tout peur !

C'est ce qu'on appelle en anglais « **NDE** » ou *Near Death Experience* depuis la parution du livre princeps du Dr Raymond Moody publié en 1975 et traduit en 26 langues, au titre admirable : *Life after life, la Vie après la vie.* On lui doit la popularisation et la médiatisation du phénomène. Aujourd'hui, en bon français, les NDE sont devenues les « **EMI** » ou « **Expériences de Mort Imminente** ».

Pour nous qui n'avons rien vécu de tout cela, spontanément, n'avons-nous pas tendance à penser que ces phénomènes sont imaginaires, qu'ils sont le fait de farfelus au psychisme fragile ou qui veulent se faire remarquer ? Toute la problématique est de savoir si nous pouvons vraiment nous fier à ces expériences surprenantes qui remettent en question cette certitude qu'on ne revient pas de la mort.

Il faut quand même savoir que ces manifestations étranges – aux confins de la mort – semblent avoir toujours existé, relatées dans l'histoire et dans toutes les civilisations. De plus, depuis une quarantaine d'années, grâce aux progrès de la réanimation et aux moyens modernes de communication, elles semblent devenues de plus en plus fréquentes et connues. On peut même dire que la multitude d'EMI certaines, recensées et analysées de par le monde par diverses voies, ainsi que les nombreux ouvrages, études, publications, colloques scientifiques qui leur sont consacrés, amènent à ne plus pouvoir douter de leur existence en ce vingt et unième siècle[1]. Encore faut-il analyser ce qu'elles représentent!

Aussi insolites qu'elles paraissent, ces expériences méritent en effet qu'on s'y arrête en prenant soin de les juger objectivement, comme on le ferait pour d'autres manifestations a priori bizarres. C'est le but de ce livre.

Bien sûr, il ne faut pas être naïf: si on cherche sur le Net, on trouve toutes sortes d'histoires de retour à la vie souvent rocambolesques qui posent la question de savoir si ce n'est pas un nouveau filon qui profite à quelques-uns, spécialement à la nébuleuse New-Age. Les livres sur l'au-delà emplissent les vitrines des librairies et sont placés dans la rubrique « ésotérisme et paranormal »... Dans ce monde irrationnel, on a vite fait d'en rajouter et de surfer sur ces faits surprenants pour apporter de l'eau au moulin de ce que l'on veut faire croire...

Faut-il pour autant abandonner ces données au monde ésotérique en s'enfermant sur sa seule tradition sans chercher plus loin?

Il faut reconnaître qu'il n'est pas facile d'aborder la réalité de manifestations aussi complexes, a priori isolées, subjectives, encore trop souvent ignorées ou mal perçues, cette fois au nom d'un rationalisme un peu trop radical, aussi bien dans le milieu scientifique classique encore tellement scientiste, que dans le milieu religieux soit trop

---

1. En 1990, un livre recensait déjà plus de sept cents références sur ce thème, la plupart étant de sources scientifiques: Terry K. BASFORD, *Near Death Experiences*, 1990, Garland Publishing, New-York.

conservateur (ne pouvant sortir de ses propres schémas…), soit trop progressiste (tenté de se refermer sur les idées scientifiquement correctes du monde…).

C'est un fait que les scientifiques, en majorité, rejettent ces manifestations qu'ils considèrent comme provenant – d'une façon ou d'une autre – d'un processus cérébral. Or, aussi surprenant que cela puisse paraître, nous verrons que ces événements résistent aux études critiques les plus sérieuses, remettant d'ailleurs en question le dogme de la conscience comme pur produit du cerveau.

Pour les catholiques, qui professent la foi en la vie éternelle en accord avec le *Credo* (« Je crois à la résurrection des corps et à la vie du monde à venir »), paradoxalement, la tendance générale est aussi de douter de ces phénomènes, considérés le plus souvent comme superflus et difficiles à intégrer. C'est vrai qu'ils ne sont pas nécessaires à la foi mais ne peuvent-ils pas être d'une grande aide dans notre monde sécularisé, où la réalité des choses invisibles pose problème? D'autant que beaucoup de chrétiens ne sont plus guère enracinés dans la certitude qu'il y a une vie après la mort et ne l'envisagent que comme une vague éventualité[2]…

Cet ouvrage n'a d'autre but que de comprendre de la façon la plus objective possible les Expériences de Mort

---

2. En 1993, seulement 8 % des *Français* croyaient encore à la résurrection… Qu'en est-il aujourd'hui?

Imminente dans leur rapport à la science et à la foi (catholique, la seule que je connaisse sérieusement[3]).

Par là, j'aimerais conforter ceux qui croient comme ceux qui ne croient pas – nous en avons tous besoin –, dans l'espérance que la mort n'a certainement pas le dernier mot.

Je vais donc commencer par exposer les faits à partir d'un certain nombre d'écrits et de récits de ceux qui les ont vécu, puis nous les examinerons à la lumière de la science et de la religion chrétienne, réfléchissant à ce qu'ils apportent aussi bien à la raison qu'à la foi, convaincu qu'il n'y a aucune opposition entre les deux, ce sujet en étant une fois de plus un bel exemple.

Je souligne que je n'ai moi-même pas vécu ce phénomène… Alors, peut-on me demander, quelle est ma légitimité pour parler d'un tel sujet ? C'est à la fois en tant que médecin et en tant que catholique que j'ai voulu approfondir ce thème qui contribue justement au dialogue de plus en plus nécessaire entre la raison et la foi, ce que j'ai déjà essayé de faire dans mes autres livres.

Il s'avère que, jeune médecin, j'avais été très interpellé par le livre du Dr Moody, découvrant enfin un confrère qui sortait du consensus adopté en médecine qu'il n'y avait rien à dire en dehors du « psychosomatique » : ceci a orienté ma pratique vers une « médecine de la personne » au sens plénier du terme et m'a amené en fin de carrière à exercer le poste de médecin permanent du Bureau des

---

3. Je laisse de côté les religions orientales : d'autres en parlent dans les références que je donne.

Constatations Médicales de Lourdes en vue d'authentifier les déclarations de guérisons qui pouvaient être d'origine miraculeuse.

J'ai relevé de nombreuses similitudes entre ces expériences de mort imminente et les phénomènes extraordinaires comme les guérisons miraculeuses, les apparitions mariales ou les manifestations relevées chez certains mystiques (reconnus dans certains cas par l'Église catholique à la suite d'études longues et sérieuses). J'y consacre un chapitre. Dans cette perspective, j'ai également émaillé les chapitres de passages de l'Écriture qui correspondent parfois de façon étonnante aux faits et ajouté des réflexions ou des vécus très divers qui illustrent le sujet.

À chacun de se faire son opinion.

Frères, nous ne voulons pas vous laisser dans l'ignorance au sujet de ceux qui se sont endormis dans la mort; il ne faut pas que vous soyez abattus comme les autres, qui n'ont pas d'espérance. 1 Th 4, 13-14

1er témoignage : « Il ne faut plus avoir peur de la mort ! »

Voici le récit d'un témoignage que j'ai recueilli à Lourdes. Remarquons la guérison intervenue dans le même temps que l'EMI, ce qui n'est pas si rare (cf. chapitre 7).

Monsieur **Michel DURAND** est né en 1933, aîné de 11 enfants. Marié, père de deux enfants, c'est un homme qui a les pieds sur terre, très engagé dans diverses associations, adjoint au maire de sa commune.

En 2003, il présente brusquement une crise aiguë de cholécystite (inflammation grave de la vésicule biliaire) provoquant une perforation du canal cholédoque et de l'intestin, une septicémie et une infection de la base des poumons, avec, en plus, une pancréatite qui vient compliquer le tout. Bref, tout ce qui peut arriver de pire, nécessitant une intervention urgente et risquée.

Au cours de celle-ci survient un arrêt cardiaque : il est cliniquement mort. Pendant ce temps, son jeune neveu, dominicain, fils de sa dernière sœur, la 11e de la famille, était à Lourdes où il priait pour son oncle, en particulier en allant aux piscines se baigner pour lui. Étonnamment, l'équipe de réanimation arrive à remettre en marche le cœur et, dès le lendemain, l'opéré peut se lever, son état s'améliore rapidement, il peut rentrer à son domicile après 4 semaines, et, revoyant son chirurgien au bout de 7 semaines, celui-ci le reçoit en s'exclamant : « Voilà le miraculé ! »

L'histoire m'avait d'abord été racontée par le neveu, le 6 octobre 2004, pendant le pèlerinage du Rosaire de Lourdes, quand j'étais médecin responsable du Bureau des Constatations Médicales. Je rencontre son oncle le 8 du même mois, puis, à nouveau, en octobre 2006. Calmement, il me dit qu'il ne crie pas au miracle et qu'après tout, les médecins ont bien accompli leur travail, ce qui est vrai. Néanmoins, il concède : « Je reconnais que cette guérison m'a été accordée par la Vierge. Et, pour moi qui suis très marial, c'est une grande grâce. » Et puis, en continuant à discuter, il se décide enfin à m'entretenir de l'expérience de « mort clinique » qu'il a connue :

> À un moment donné, une porte s'est ouverte avec une grande lumière blanche devant moi. Pas dans un tunnel pour moi. J'étais seul aussi, dans un espace clair, calme, reposant, indescriptible. On va vers quelque chose de formidable, de merveilleux. Combien de temps ? Je n'en sais rien. Il n'y avait plus de temps. C'était, en tout cas, très agréable à vivre. Un espace de bonheur, de bien-être, de plénitude. Tout est beau, tout est serein. C'est

inexprimable tellement on est bien ! J'ai vécu la béatitude parfaite. Le pire, c'est quand on revient à la triste réalité, branché de tous côtés !

Cela donne bien à réfléchir ! Après, j'ai mis longtemps à en parler. Je sens bien que j'étais dans un passage critique : mon esprit se trouvait dans une autre partie de ma vie. Et puis, je me suis dit qu'il fallait en témoigner, comme d'une guérison inexpliquée, auprès de ceux qui peuvent l'entendre. Dire que vraiment il y a quelque chose après. On ne voit plus sa fin sur terre de la même manière. On relativise, on ne voit plus la vie sous le même angle. On est heureux de l'avoir vécue. Envie de dire merci. Envie de prier dans un esprit de louange, de reconnaissance, pas de solliciter.

On ne peut plus être dépressif. Si la mort c'est ça, il ne faut surtout plus en avoir peur. Le jour où elle se présentera, je ne verrai pas cela comme une fin en soi. Il me semble l'avoir déjà vécue, peut-être justement pour en témoigner autour de moi.

Une fable

Des jumeaux dans le ventre de leur mère…

— Dis, tu crois, toi, qu'on va rester là longtemps?

— Tout le temps, bien sûr! On est trop bien ici!

— J'sais pas, moi, mais j'ai l'impression qu'il y aura autre chose après.

— Autre chose?

— Oui, une autre vie. À mon avis, nous sommes ici pour devenir forts et nous préparer à ce qui nous attend après.

— Mais c'est insensé, voyons… Il n'y a pas d'après. C'est stupide ce que tu dis. Pourquoi veux-tu qu'il y ait autre chose en dehors de cet espace. À quoi ressemblerait une vie hors du ventre?

— Eh bien, il y a beaucoup d'histoires à propos de « l'autre côté »… On dit que, « là-bas », il y a beaucoup de lumière, beaucoup de joies et d'émotions, des milliers de choses à vivre… Par exemple, on dit que « là-bas » on va manger avec notre bouche.

— Mais c'est n'importe quoi! Nous avons le cordon ombilical et c'est ça qui nous nourrit, tout le monde le sait! On ne se nourrit pas par la bouche! Et il n'y a jamais eu de « revenant » de cette « autre vie » à laquelle tu crois. Tout ça, ce sont des histoires de personnes naïves. La vie se termine tout simplement à l'accouchement. C'est comme ça, il faut l'accepter.

– Eh bien, permets-moi de ne pas être d'accord. C'est sûr, je ne sais pas exactement à quoi va ressembler la vie après l'accouchement et je ne peux rien te prouver. Mais je crois dans la vie qui va venir après : nous verrons notre maman et elle nous aimera et prendra soin de nous.

– « Maman » ? Tu veux dire que tu crois en « maman » ? Ah ! Et où se trouve-t-elle ?

– Mais elle est partout, tu le sens bien ! Elle est là, partout, autour de nous. Nous sommes faits d'elle et c'est grâce à elle que nous vivons. Sans elle, nous ne serions pas là.

– C'est absurde ! Je n'ai jamais vu aucune « maman ». Elle n'existe pas !

– Pas d'accord, ça, c'est ton point de vue ! Car, parfois, quand tout est calme, on peut l'entendre quand elle chante… On peut sentir quand elle caresse notre monde… Je suis certain que notre vraie vie va commencer après l'accouchement.

Qu'est-ce qu'une EMI ?

> *Ôtez le surnaturel, il ne reste*
> *que ce qui n'est pas naturel.*
>
> G. K. Chesterton

Une EMI « classique » :

Chaque EMI est unique, personnelle, avec toutefois d'étonnantes similitudes. Nous en donnerons un certain nombre d'exemples. Toutefois, il m'a semblé utile de reprendre la première version qui en a été faite par le Dr Raymond Moody dans son livre princeps, à partir de 150 témoignages :

> Voici donc un homme qui meurt, et, tandis qu'il atteint le paroxysme de la détresse physique, il entend le médecin constater son décès. [...] Il se sent transporté avec une grande rapidité à travers un obscur et long tunnel. Après quoi il se retrouve soudain hors de son corps physique, sans toutefois quitter son environnement physique immédiat ; il aperçoit son propre corps à distance, comme un spectateur. [...] Au bout de quelques instants, il se reprend et s'accoutume peu à peu à l'étrangeté

de sa nouvelle condition. Il s'aperçoit qu'il continue de posséder un « corps », mais ce corps est d'une nature très particulière et jouit de facultés très différentes de celles dont faisait preuve la dépouille qu'il vient d'abandonner [...]. Bientôt, d'autres êtres avancent à sa rencontre, paraissant vouloir lui venir en aide ; il entrevoit les « esprits » de parents et d'amis décédés avant lui [...]. Et soudain une entité spirituelle, d'une espèce inconnue, un esprit de chaude tendresse, tout vibrant d'amour – un « être de lumière » – se montre à lui. Cet « être » fait surgir en lui une interrogation, qui n'est pas verbalement prononcée, et qui le porte à effectuer le bilan de sa vie passée. [...] Le moment vient ensuite où le défunt semble rencontrer devant lui une sorte de barrière, ou de frontière, symbolisant apparemment l'ultime limite entre la vie terrestre et la vie à venir. Mais il constate alors qu'il lui faut revenir en arrière, que le temps de mourir n'est pas encore venu pour lui. À cet instant, il résiste, car il est désormais subjugué par le flux d'événements de l'après-vie et ne souhaite pas ce retour [...]. Par la suite, lorsqu'il tente d'expliquer à son entourage ce qu'il a éprouvé entre-temps, il se heurte à différents obstacles. En premier lieu, il ne parvient pas à trouver des paroles humaines capables de décrire de façon adéquate cet épisode supraterrestre [...]. Pourtant cette expérience marque profondément sa vie et bouleverse notamment toutes les idées qu'il s'était faites jusque-là à propos de la mort et de ses rapports avec la vie[4].

Les EMI ne sont pas des phénomènes rares ou isolés. Dans la première enquête rigoureuse sur le sujet[5], Kenneth Ring, professeur de psychologie à l'Université du Connecticut, parle d'environ 8 millions de personnes qui auraient vécu ce type d'expérience aux USA[6]. En 1997, un sondage réalisé par *US News and World Report* porte ce chiffre à 19,6 millions, soit plus du double (4,2 % des Occidentaux)... ce qui ferait, toutes proportions gardées[7], entre 1,4 et 2,5 millions de Français[8]! Ce n'est donc pas un fait exceptionnel... D'ailleurs, on en arrive aujourd'hui à dénommer ces gens par un néologisme soit américain (*experiencer*) soit francisé : « expérienceur ».

En 1998, Jeffrey Long, qui se qualifie lui-même « homme de science », créait la *Near-Death Experience Research Fondation* aux USA (Fondation de recherche sur les expériences de mort imminente) et son site internet[9] pour recueillir le plus grand nombre de témoignages possibles à partir d'un formulaire détaillé d'une centaine de questions. Plus de 1300 personnes ont répondu au cours des

---

4. R. MOODY, *La vie après la vie*, 1977, Robert Laffont, p. 35-37.
5. Kenneth RING, *Sur la frontière de la Vie*, Robert Laffont, 1982.
6. En 1997, un sondage réalisé par *US News and World Report*, porte ce chiffre à 19,6 millions...
7. Dans un rapport de 300 M. d'habitants aux USA pour 60 M. en France, soit 5 fois moins.
8. Personnellement, d'après mon expérience, je pense qu'on peut parler d'au moins 2 millions de Français.
9. www.nderf.org

dix premières années, des quatre coins du monde, toutes croyances et couleurs de peau confondues. Comme le dit J. Long dans le livre qu'il en a tiré :

> Leur désir de témoigner en dit long sur l'impact que peut avoir une expérience d'EMI sur une vie humaine. Les participants ont décrit leur EMI de plusieurs manières, en la qualifiant d'« indicible », d'« ineffable », d'« inoubliable », d'« indescriptible ». Plus de 95 % d'entre eux l'ont perçue comme « tout à fait réelle », et presque tous les autres l'ont estimée « probablement réelle ». Aucun ne l'a considérée comme « tout à fait irréelle ». Certains en ont même parlé comme de la meilleure chose qui leur soit jamais arrivée[10].

Selon les études épidémiologiques, les témoignages d'EMI seraient plus fréquents chez les sujets de moins de 60 ans. Les EMI existent chez les enfants, certains de moins de 4 ans (cf. le 2ᵉ témoignage) : ils ne savent pas ce qu'est la mort, ils ne sont pas conditionnés culturellement ni religieusement ; et, à coup sûr, ils n'ont pas entendu parler d'EMI car même si on leur en parlait, ils ne comprendraient pas !

De nombreuses circonstances sont décrites au cours desquelles des EMI ont été rapportées, telles que : arrêt cardiaque (mort clinique), choc hémorragique, traumatisme cérébral ou hémorragie intracérébrale, noyade ou

---

10. Cf. son livre : *La vie après la mort : les preuves* - Jeffrey LONG avec Paul PERRY.

asphyxie. Des expériences similaires peuvent survenir aussi dans le cadre de pathologies graves qui ne menacent pas immédiatement la vie, de phases terminales de maladies, ou au cours d'un épisode crucial de l'existence (par exemple lorsqu'un patient entend qu'il est déclaré mort) ou encore lorsque la personne ressent l'impression d'être dans une situation fatale (par exemple, juste avant un accident de la route ou d'escalade en montagne) : elles sont appelées « visions des mourants ».

Seules 20 à 30 % des personnes qui ont frôlé la mort font une EMI. On ne peut pas prédire qui est susceptible de faire une EMI en étant proche de la mort : il n'y a aucun moyen de le savoir d'avance. Ainsi sommes-nous très inégaux devant ces expériences. Des enfants, des personnes âgées, des scientifiques, des médecins, des religieux, en ont rapporté. Il n'y en a d'ailleurs pas plus chez les croyants que chez les athées.

Signalons qu'il n'est pas possible de vivre volontairement une EMI ou de l'induire expérimentalement chez un patient, ni physiquement, ni éthiquement. À noter enfin qu'on connaît aussi aujourd'hui des expériences similaires aux EMI, décrites alors que les personnes n'étaient pas proches de la mort, ni gravement malades. Raymond Moody parle maintenant des « expériences de mort partagée » ou « EMI empathiques » qui se manifestent au moment du décès d'un proche. Certains ont aussi pu faire une EMI à un moment de grande angoisse de la mort comme Marino Restrepo, prisonnier des FARC en Colombie, dont la vie a été complètement bouleversée par cette expérience[11].

En fait ce sont des expériences proches des expériences charismatiques ou mystiques ; on est toujours dans un état limite : on peut les rapprocher mais pas les confondre.

Les différentes phases :

Nous allons reprendre les différentes phases – possibles mais non obligatoires, et pas forcément dans le même ordre – sur lesquelles nous pourrons revenir en deuxième partie pour éclaircir certains points tant sur le plan scientifique que religieux.

J'en ai retenu neuf[12] :

1°) La « décorporation » ou sortie hors du corps

2°) Le changement d'état du « corps »

3°) Le passage dans un tunnel

4°) Le contact avec d'autres « personnes spirituelles »

5°) La rencontre avec un « être de lumière »

6°) Le bilan de vie

7°) Le sentiment de paix et de tranquillité

8°) Le retour

9°) Les répercussions sur la conduite de vie

Pour illustrer ce chapitre, je reprendrai à chaque phase quelques passages d'un livre paru en 1992 que je gardais

---

11. www.marinirestrepo.com/fr
12. D'autres en retiennent douze ou quinze…

précieusement dans ma bibliothèque. Il s'appelle : *Dans les bras de la lumière*[13]. Son auteur, **Betty J. Eady**, est née de mère indienne et de père de souche irlando-écossaise. Betty assume tous les drames d'une enfance déchirée : divorce des parents, orphelinat, séparation d'avec ses frères et sœurs, échec d'un premier mariage. Remariée avec Joe avec qui elle a eu huit enfants, elle est veuve depuis 2011 et grand-mère de quinze petits-enfants et sept arrière-petits-enfants.

Après une malencontreuse éducation catholique hyper stricte, elle s'est convertie à l'Église des saints du dernier jour (Mormons) où elle prendra des responsabilités après sa NDE.

« Morte » à l'âge de trente et un ans à la suite d'une inter-vention chirurgicale (ablation partielle de l'utérus ayant entraîné une hémorragie cataclysmique) le 18 novembre 1973, puis revenue à la vie, Betty donne de son aventure dans l'au-delà un récit extrêmement détaillé particulière-ment intéressant. Il lui fallut dix-neuf ans et une multitude d'encouragements (à la suite des nombreuses conférences qu'elle donna sur le sujet) pour écrire son livre. Tout ce qui est écrit n'est donc pas à prendre à la lettre, car, avec le temps, on sait qu'on peut avoir tendance à enjoliver des choses agréables vécues longtemps auparavant[14]. Mais on ne peut pas mettre en doute son témoignage, qu'elle n'a

---

13. Réédité en Poche en 2012 (Pocket).
14. En plus, son appartenance aux Mormons lui a certainement fait inventer certaines affirmations, comme le fait d'une existence ante-natale... Ce qui, pour moi, ne retire rien au reste.

pas inventé et qui est magnifique! Je n'ai repris que ce qui correspondait aux différentes phases.

Par ailleurs, il m'a semblé intéressant de rapprocher ces différentes étapes d'extraits des Écritures comme autant de signes.

1°) La « décorporation »

La décorporation, que les Anglo-Saxons appellent *Out of body experience (OBE)* (sortie hors du corps), est l'expérience – subjective – faite par un sujet humain de sortir de son corps. Elle constitue souvent la première étape des EMI (dans environ 45 % des cas). Les témoignages concordent: la personne se retrouve le plus souvent au plafond de la salle de réanimation, observant, dans la plus grande sérénité, les médecins et les infirmières s'agitant autour de son corps, changeant les flacons de perfusion et tenant divers propos. Ils peuvent par la suite vérifier l'exactitude des comportements et des dires.

Voici comment Betty la raconte dans le chapitre 4 de son livre:

J'entendis un léger bourdonnement dans ma tête et sombrai plus profondément encore, jusqu'à sentir mon corps s'immobiliser et perdre la vie. Puis j'éprouvai une montée d'énergie. Quelque chose en moi me fit l'effet d'éclater ou de se dégager, et mon âme sortit par ma poitrine et s'éleva, comme attirée par un aimant géant. Ma première impression fut d'être délivrée, et elle n'avait rien d'anormal. J'étais au-dessus du lit et planais à hauteur du plafond. Je jouissais d'une liberté sans limite, une liberté aux allures familières. Je me retournai et aperçus un corps étendu sur le lit. Je fus curieuse de savoir qui c'était, et descendis immédiatement vers lui. Ayant travaillé comme aide-soignante, je connaissais bien l'aspect d'un mort, et je sus à l'instant même où je m'approchai du visage, qu'il était sans vie. Je pris alors conscience que c'était le mien ! C'était mon corps que je voyais sur le lit. Je ne fus ni déconcertée, ni effrayée ; je ressentis simplement une sorte de sympathie pour lui. Il se révélait plus jeune et plus beau que celui dont je me souvenais, et maintenant il était inerte. C'était comme si j'avais ôté un vieux vêtement et l'avais mis de côté pour toujours, décision regrettable car il avait toujours fière allure. Je réalisai que je ne m'étais jamais admirée en trois dimensions ; je ne connaissais que mon image réfléchie par la surface plane du miroir. Mais les yeux de l'âme voient ce qui est inaccessible au commun des mortels. Je contemplai mon enveloppe charnelle sous tous les angles à la fois – de face, de dos, et des deux profils. Je découvris, grâce à cette vision globale, des aspects de mon physique que je n'avais jamais discernés. Voilà pourquoi probablement je ne m'étais pas immédiatement reconnue.

Pour le Dr Jeffrey Long :

Nous avons reçu des quantités d'EMI où la conscience s'est extraite du corps et s'est éloignée de celui-ci. Par exemple, un patient a fait un arrêt cardiaque en salle d'opération, sa conscience a quitté le bloc et s'est rendue dans la cafétéria où se trouvait sa famille. Il a pu voir et entendre la discussion de la famille. Et tout a été vérifié ensuite ; tout était exact. C'est extraordinaire, mais nous avons des quantités d'exemples comme cela. Et ce n'est presque jamais imprécis. Je serai très étonné si nous avions quelqu'un qui rapportait des observations fausses. Le petit pourcentage d'observations inexactes porte en général sur un ou deux détails. Les observations hors du corps, la réalité de ce que voient ces personnes lorsqu'elles sont inconscientes, en mort clinique, et la réalité de ce qu'elles voient loin du corps est l'une des preuves les plus fortes que nous ayons de l'authenticité des EMI[15].

La science classique n'imagine même pas ce genre de fait. Pour ce qui est de la théologie, nous l'aborderons à partir de l'anthropologie, au chapitre 12.

Je connais un homme dans le Christ qui, voici quatorze ans – était-ce en son corps ? Je ne sais ; était-ce hors de son corps ? Je ne sais ; Dieu le sait – cet homme-là fut ravi jusqu'au

---

15. La vie après la mort : les preuves - Éditions France Loisirs 2013.

troisième ciel. Et cet homme-là – était-ce en son corps ? Était-ce sans son corps ? Je ne sais pas. Dieu le sait, je sais qu'il fut ravi jusqu'au paradis et qu'il entendit des paroles ineffables...

2 Co 12,2-4

2°) Le changement d'état du « corps »

La conscience et la lucidité sont renforcées avec des émotions ou des sentiments intenses généralement positifs.

> Mon nouveau corps ne pesait rien, il était extrêmement mobile, et j'étais fascinée par cet état si différent. Malgré mes très récentes douleurs, conséquences de l'opération, je ne souffrais maintenant d'aucune gêne. J'étais en tout point parfaitement bien ! Et je pensais : « Voilà qui je suis vraiment[16]. »

À ce moment-là Betty repense à sa famille et se rend compte qu'elle peut quitter sa chambre en passant à travers les murs, être propulsée chez elle « à une vitesse étourdissante », observer sa famille sans être remarquée et revenir sur l'instant dans sa chambre d'hôpital « mon corps étant toujours étendu sur mon lit à environ soixante-quinze centimètres sous moi, légèrement sur ma gauche [...] »

L'expérienceur n'a donc plus un corps matériel, compact, opaque, mais un corps tout de même. Comment l'appeler ? Corps « mystique », corps « spirituel », corps « glorieux » ?

---

16. Betty J. EADIE, toujours dans le chapitre 4 intitulé « Ma mort ».

Dans les milieux ésotériques, on parle de « corps subtil », de « corps « astral », intermédiaire entre le corps physique et l'esprit, de nature énergétique, ondulatoire, capable de se détacher du corps physique, de voyager – on parle de « voyage astral » – d'entrer en contact avec d'autres « entités ».

En tout cas, il est sûr que la science classique n'est pas du tout ouverte à ce type de phénomène. Peut-être la physique quantique peut envisager une telle possibilité ?

Le soir, ce même jour, le premier de la semaine, et les portes étant closes, là où se trouvaient les disciples, par peur des Juifs, Jésus vint et se tint au milieu d'eux. Jn 20, 19

3°) La traversée d'un « tunnel »

Elle consiste (pour un tiers des cas) dans le passage à très grande vitesse à travers un tunnel, aboutissant dans un domaine inconnu qu'on peut juste dire « non-terrestre » car ne ressemblant à rien de ce que l'on connaît sur terre !

Le tableau de Jérôme Bosch, *Ascension vers l'Empyrée*, en est un bel exemple. Ceux qui l'ont vécu disent : « C'est exactement cela ! »

En général (pour environ deux tiers des cas) au bout de ce tunnel scintille une lumière blanche, attirante, aussi brillante « qu'un million de soleils », mais pas du tout aveuglante. Reprenons le récit de Betty (chapitre 5 : *Le tunnel*) :

> Betty raconte qu'elle se trouve « en présence d'une immense énergie... qu'elle aurait dû être terrorisée... mais qu'au contraire elle était dans un état profondément agréable de bien-être et de calme... »
> Un processus de guérison se déroulait. L'amour dominait cette masse mouvante qui tourbillonnait, et je m'engloutissais dans sa chaleur et sa densité, jouissant de la sécurité et de la paix. Je pensai : « Ce doit être ici que se trouve la vallée de l'ombre de la mort. »
> De toute mon existence, je n'avais jamais été aussi sereine.

Les personnes se retrouvent dans un endroit où l'espace-temps est différent. Ils ont l'impression d'entrer dans un autre monde, d'avoir accès à une connaissance particulière de l'univers, de découvrir des royaumes célestes, spirituels.

La nuit n'existera plus, ils n'auront plus besoin de la lumière d'une lampe ni de la lumière du soleil, car le Seigneur Dieu répandra sur eux sa lumière, et ils régneront pour les siècles des siècles. Ap 22, 4-5

4°) La découverte d'autres « personnes »

Les personnes qui vivent une EMI racontent avoir rencontré des êtres chers, décédés avant elles, proches parents pour la plupart, connues ou inconnues d'elles auparavant, ou des figures spirituelles. Faut-il parler de

« personnes », d'« êtres mystiques », d'« esprits » ? En tout cas, ce ne sont pas de purs esprits : ils sont reconnaissables, parlent, etc. Tous les témoignages concordent.

> À cet endroit, je vis des personnes que je savais mortes. Aucun mot n'était prononcé, mais c'était comme si je savais ce qu'elles pensaient en même temps qu'elles. Je savais qu'elles connaissaient toutes mes pensées. Je ressentais une paix qui dépassait toute compréhension. C'était un sentiment merveilleux. J'étais en pleine euphorie et avais la sensation de ne faire qu'un avec quelque chose[17].

Or il advint que le pauvre mourut et fut emporté par les anges dans le sein d'Abraham. Le riche aussi mourut et on l'ensevelit. Dans l'Hadès, en proie à des tortures, il lève les yeux et voit de loin Abraham, et Lazare en son sein...

Lc 16, 22, 23

5°) La rencontre avec un « Être de lumière »

La rencontre d'un Être de lumière dont émane un amour infini, inconditionnel, est une expérience ineffable. Les mêmes expressions reviennent sans cesse :

---

17. Margot GREY, *Return from Death*, 1985.

Imaginez une lumière faite de totale compréhension et de parfait amour ; l'amour qui émanait de la lumière est inimaginable, indescriptible.

Une femme de cinquante ans, Fabienne, qui a fait un coma diabétique à l'âge de 12 ans, que l'on croyait morte puisqu'elle a réintégré son corps à la morgue... n'a jamais oublié cette expérience et affirme :

J'ai rencontré une Lumière qui n'est qu'Amour.

Un jeune soldat américain, George Richtie, pris de fièvre lors d'un entraînement trop intensif et laissé pour mort, raconte sa découverte de la source lumineuse[18] :

C'était Lui. Il était trop brillant pour qu'on puisse le regarder en face. Je voyais alors que ce n'était pas de la lumière mais un Homme qui était entré dans la pièce, ou plutôt un Homme fait de lumière... Je me mis sur pied et, pendant que je me levais, me vint cette prodigieuse certitude : Tu es en présence du Fils de Dieu. » [...] Par-dessus tout, avec la même certitude intérieure mysté-rieuse, je sus que cet Homme m'aimait. Plus encore que la puissance, ce qui émanait de cette Présence était un amour inconditionnel. Un amour surprenant. Un amour situé au-delà de mes rêves les plus fous...

---

18. Il raconte son expérience d'EMI dans : *Retour de l'au-delà*, Robert Laffont, 1999.

C'est cette rencontre avec l'Être de lumière qui semble avoir le pouvoir de transformer complètement ceux qui font cette expérience.

Il peut certes s'agir d'un ange, mais la plupart des témoignages concordent pour penser qu'on est plutôt en présence divine. Le Dr Moody donne un assez grand nombre de témoignages sur cette lumière dans ses deux ouvrages :

> Détail typique : lors de sa première manifestation, cette lumière est pâle, mais elle devient vite de plus en plus éclatante jusqu'à atteindre une brillance supraterrestre. [...] Malgré l'aspect extraordinaire de cette apparition, pas un seul d'entre mes sujets, poursuit le Dr Moody, n'a exprimé le moindre doute quant au fait qu'il s'agissait d'un être, d'un être de lumière. Et qui plus est, cet être est une Personne, il possède une personnalité nettement définie. La chaleur et l'amour qui émanent de cet être à l'adresse du mourant dépassent de loin toute possibilité d'expression[19].

Un témoignage de son livre :

> Je faisais des efforts pour rejoindre cette Lumière parce que j'avais le sentiment que c'était le Christ, et je voulais arriver jusqu'à Lui. Il n'y avait là rien d'effrayant ; c'était même plutôt agréable. Parce que, comme chrétien,

---

19. *La vie après la vie.*

j'avais naturellement établi une relation entre la Lumière et le Christ qui avait dit : « Je suis la Lumière du monde. » Je me disais : « Si c'est vraiment la fin, si je dois mourir, alors je sais quel est Celui qui m'attend, là-bas, dans cette Lumière. »

Dans un autre de ses livres, *La lumière de l'au-delà*[20], un expérienceur exprime ceci :

Je suis resté dans la Lumière pendant un long moment. Je sentais que tous les gens qui étaient là m'aimaient. Tout le monde était heureux. Je me rends compte que la lumière était Dieu.

Pour ce qui est de Betty, voici ce qu'elle raconte dans son chapitre 6 « Dans les bras de la lumière » :

Une petite lueur brillait au loin. La masse ténébreuse qui m'entourait prenait maintenant la forme d'un tunnel que je traversais à une vitesse encore plus élevée, fonçant vers la lumière. Je me sentais instinctivement attirée vers elle. [...] En m'approchant, je remarquais la silhouette d'un homme. La lumière rayonnait tout autour de lui. Plus la distance se réduisait, plus elle brillait – au-delà de toute description, beaucoup plus que le Soleil – aucun œil humain à ma connaissance, n'aurait pu la fixer sans se brûler. Seul le regard spirituel était capable

---

20. Robert Laffont, 1988.

de la supporter – et de l'apprécier. Arrivée à proximité de l'homme, je me mis debout. Le halo qui l'entourait directement était doré, un peu comme une auréole qui aurait cerné tout son corps. Il émanait de lui, et se dispersait dans l'espace en une blancheur splendide et éclatante. Sa lumière attira la mienne et s'y mêla littéralement. C'était comparable à deux lampes allumées dans une pièce, et dont tous les faisceaux se fondent en un seul. Il est difficile de dire où les uns s'arrêtent et où les autres commencent ; ils fusionnent. Bien que son scintillement fût beaucoup plus intense, celui dont j'étais la source nous illuminait aussi. Et comme nos lumières s'unissaient, j'eus la sensation d'être absorbée tout en éprouvant une immense explosion d'amour. C'était un amour inconditionnel. Il ouvrit ses bras pour m'accueillir, je vins à lui et il m'enlaça. Je répétais sans cesse : « Je suis chez moi. Je suis chez moi. Je suis enfin chez moi ! » Je sentis son esprit infini, et compris que j'avais toujours été liée à lui, qu'en réalité je n'avais jamais été loin de lui. [...] Je ne doutais nullement de son identité. Il était mon Sauveur, et ami, et Dieu. Il était Jésus-Christ, Celui qui m'avait toujours aimée, même quand j'avais cru qu'Il me détestait. Il était la Vie même, l'Amour même, et son Amour me procura un bonheur incommensurable.

Six jours après, Jésus prit avec lui Pierre, Jacques, et Jean, son frère, et il les conduisit à l'écart sur une haute montagne. Il fut transfiguré devant eux ; son visage resplendit comme le soleil, et ses vêtements devinrent blancs comme la lumière. Mt 17, 1-3

6°) Le bilan de vie[21]

C'est alors que, souvent, le mourant perçoit le film de sa vie passée en un instant (ou des fragments de son existence), l'Être de Lumière semblant tout connaître de lui et posant assez généralement la question : *Qu'as-tu fait de ta vie ?* avec beaucoup de tendresse, sans blâme, sans reproche, mais avec, en même temps, toute l'exigence de l'amour.

La même Fabienne, « morte » à 12 ans, souligne qu'elle a revu tous les actes de son existence de seulement 12 années, en ressentant la joie et la peine des personnes envers qui elle avait posé ces actes. Betty en parle au moment où elle rencontre l'Être de lumière qu'elle considère comme son Seigneur :

> Je n'ignorais pas qu'Il était au courant de tous mes péchés et fautes, mais que ceux-ci ne revêtaient aucune importance pour le moment. Il ne souhaitait que m'étreindre et partager son amour avec moi comme je voulais le faire avec Lui.

---

21. En anglais : *Life review.*

Dans le best-seller de MOODY :

Dès qu'il m'est apparu, l'Être de Lumière m'a tout de suite demandé : « Montre-moi ce que tu as fait de ta vie », ou quelque chose d'approchant. Et aussitôt les retours en arrière ont commencé [...] Il n'essayait pas de s'informer sur ce que j'avais fait – il le savait parfaitement – ; il choisissait certains passages de mon existence et les faisait revivre devant moi pour me les remettre en mémoire. Et durant tout ce temps, il ne manquait pas une occasion de me faire remarquer l'importance de l'amour... Il insistait beaucoup sur l'importance de la connaissance [...] Il m'a dit que c'est un besoin permanent, d'où j'ai conclu que cela doit continuer après ma mort. Je crois bien que son but, en me faisant assister à mon passé, était de m'instruire.

Dans un livre de Kenneth RING[22] :

Instantanément, ma vie entière fut mise à nu et s'ouvrit à cette merveilleuse Présence, « Dieu ». Je sentis en moi Son pardon pour tout ce que j'avais honte dans ma vie, comme si tout ça n'avait pas grande importance. On me demanda – mais il n'y eut pas un mot échangé, c'était une communication directe, mentale, instantanée – « ce que j'avais fait pour aider et faire avancer l'espèce humaine ». En même temps, toute ma vie se présenta

---

22. *En route vers Omega*, Robert Laffont, 1991.

instantanément devant moi et on me montra, on me fit comprendre ce qui comptait. Je n'irai pas plus loin mais, croyez-moi, ce que j'avais considéré comme sans importance dans ma vie me sauva et ce que j'avais cru important n'avait pas de valeur.

Vous, vous jugez selon la chair ; moi je ne juge personne ; et s'il m'arrive de juger, moi, mon jugement est selon la Vérité.

Jn 8, 15-16

7°) Le sentiment de paix et de tranquillité

Il est profond, dépassant l'expérience qui a pu exister dans la vie courante, avec une conscience et une lucidité renforcées.

Sans savoir vraiment comment, une paix inattendue m'envahit. Je me retrouvais en train de flotter au-dessus de mon lit et regardais plus bas mon corps inconscient. J'eus à peine le temps de réaliser l'étrangeté de la situation – que c'était bien moi dans mon corps – quand je fus rejoint par un être rayonnant, baigné dans une lumière blanche et brillante. Comme moi, cet être volait mais n'avait pas d'ailes. Je ressentis une crainte révérencielle quand je me tournais vers lui ; ce n'était pas un ange ordinaire ou un esprit, mais il avait été envoyé pour me délivrer. Il y avait tant d'amour et de bonté qui émanait de cet être, que je sentis que j'étais en présence du Messie[23].

Je vous laisse la paix, je vous donne ma paix. Je ne vous donne pas comme le monde donne. Que votre cœur ne se trouble point, et ne s'alarme point. Jn 14, 27

8°) Le retour

Il est volontaire ou involontaire, toujours difficile. Les gens hésitent à revenir « sur terre », tellement ils sont bien là où ils sont ! Après cette expérience le plus souvent décrite comme merveilleuse, lumineuse, le retour dans le « monde des vivants » se fait à contrecœur !

Je vis le Christ, mais la lumière qui rayonnait de Lui était si brillante qu'en temps normal elle m'aurait aveuglé. J'avais l'impression de vouloir rester ici pour toujours, mais quelqu'un, qui devait être mon ange gardien, me dit : « Tu dois retourner d'où tu viens, car ton temps n'est pas encore venu. » Puis je ressentis une sorte de vibration et je me retrouvai à nouveau là[24].

Et Betty raconte au chapitre 18 « Mon retour » :

23. Kenneth RING, *Amazing Grace*.
24. M. GREY *Return from Death*.

Il n'y eut pas d'au revoir ; je me retrouvai simplement dans ma chambre d'hôpital. La porte était toujours mi-close, la lumière éclairait le lavabo, et mon corps gisait sous les couvertures [...] Je fus prise de convulsions, comme si un puissant courant électrique me traversait. Je ressentis à nouveau la douleur et la maladie de mon corps, et fus la proie d'un profond découragement. Après les joies de la liberté spirituelle, je redevenais prisonnière de la chair.

Elle explique bien la difficulté pour les expérienceurs à parler de leur EMI :

Au cours des quelques heures qui suivirent, des infirmières et des médecins s'affairèrent à mon chevet pour s'assurer de mon état. Ils me prêtèrent infiniment plus d'attention qu'ils ne m'en avaient prodigué la nuit précédente, et pourtant ni Joe ni moi ne leur fîmes part de mon aventure. Le lendemain matin, l'un des docteurs m'interrogea : « La nuit dernière a été critique pour vous. J'aimerais savoir ce que vous avez éprouvé. » Je n'eus pas envie de lui dévoiler la vérité, et lui racontai que j'avais été sujette à de terribles cauchemars. Je découvris qu'il m'était difficile d'évoquer mon voyage dans l'au-delà, et il ne me fallut pas longtemps pour m'apercevoir que je ne voulais pas en dire davantage à mon mari. Les mots semblaient édulcorer la puissance de l'événement. L'expérience était sacrée. Quelques semaines s'écoulèrent, et j'en fis un récit détaillé à Joe et à nos enfants en âge de comprendre. Ils m'apportèrent leur soutien immédiat, dissipant ainsi ma crainte de rapporter à ma famille ce qui s'était passé. La vie m'offrit par la suite de nombreuses occasions d'apprendre et de progresser. En fait, les quelques années à venir seraient les plus tourmentées de mon existence.

Dans le chapitre 19 intitulé *Mon rétablissement*, elle explique :

Je tombai dans une profonde dépression. Il m'était impossible d'oublier la beauté et la paix de l'univers de l'âme, et je ne pensais qu'à y retourner. Le monde s'agitant autour de moi, je me mis à redouter la vie, et même à la détester par moments. Je priais pour mourir et suppliais Dieu de me rappeler auprès de Lui. Par pitié, il fallait qu'Il me libère de cette existence et de cette mystérieuse mission. Je devins agoraphobe. Sortir de chez moi me terrifiait. Je me souviens de ces jours où, le nez collé à la fenêtre, je cherchais le courage d'aller ouvrir la boîte à lettres. Je sombrais en moi-même, périssais à petit feu et, en dépit du formidable soutien de Joe et des enfants, m'éloignais doucement d'eux. Ce fut finalement l'amour pour ma famille qui me sauva [...] Cela ne s'opéra pas du jour au lendemain, mais je repris goût à l'existence. Si mon cœur resta proche de l'univers de l'âme, ma passion pour ce qui se passait ici-bas redémarra et atteignit une intensité sans pareille.

Frères, soit que je vive, soit que je meure, la grandeur du Christ sera manifestée dans mon corps. En effet, pour moi vivre c'est le Christ, et mourir est un avantage. Mais si, en vivant en ce monde, j'arrive à faire un travail utile, je ne sais plus comment choisir. Je me sens pris entre les deux: je voudrais bien partir pour être avec le Christ, car c'est bien cela le meilleur; mais, à cause de vous, demeurer en ce monde est encore plus nécessaire. Ph 1, 20-26

9°) Les répercussions sur la conduite de vie

C'est sûr, on ne sort pas indemnes d'une telle expérience! Il faut se réadapter à la vie normale. Un sentiment de culpabilité (qui peut même nécessiter parfois une psychothérapie) survient parfois du fait d'avoir pu sérieusement envisager d'abandonner les siens. Ce qui montre tout de même que ce n'est pas recherché.

Quoi qu'il en soit, ceux qui ont rencontré l'Être de lumière sont transformés, ils sont marqués profondément: quelle que soit leur religion, leur croyance ou leur philosophie, une telle expérience apporte un goût neuf ou renouvelé pour les choses spirituelles. Ils ont désormais un rapport à la mort très différent, mettent en avant l'amour du prochain, assurent à qui veut les entendre que la vie ne s'arrête pas au moment de la mort et qu'elle est magnifique.

À noter également une notion qu'apportent les témoignages sur internet recueillis par Jeffrey Long: *Les EMI ont, à leur manière, un pouvoir de guérison sur presque tous ceux qu'elles touchent.*

Mais la vie continue... Ils ne deviennent pas forcément des saints ou des maîtres spirituels pour cela. Il y a pour eux un avant et un après, exactement comme pour les miraculés de Lourdes que j'ai connus : ils vivent un événement tellement fort qu'ils ne peuvent plus voir la vie de la même façon[25]. Ils ne fanfaronnent pas, restent modestes, ne cherchent pas à mettre en avant leur vécu.

La constance, c'est que ceux qui reviennent d'une EMI n'ont plus peur du tout de la mort, tout en ne la cherchant certainement pas, ayant horreur du suicide. Ils peuvent avoir peur du processus de mourir mais pas de la mort elle-même car ils savent que c'est le début de quelque chose de merveilleux. Ils deviennent beaucoup moins matérialistes et plus « croyants » en Dieu. Ils s'attachent davantage à des valeurs fondées sur l'amour dans leurs relations aux autres. Cela fait une énorme différence dans leur vie.

> Je ne crains plus la mort. Ces appréhensions se sont évanouies. Je n'éprouve plus de malaise quand j'assiste à un enterrement ; j'y trouve une sorte de sérénité joyeuse, parce que je sais ce qui est arrivé au défunt[26].

---

25. C'est la constatation que j'ai faite chez de nombreux guéris (reconnus ou non miraculés), en les interrogeant eux ou leur descendance. J'en ai retranscrit un maximum dans mon dernier livre : *Lourdes : des miracles pour notre guérison,* Presses de la Renaissance, 2008.
26. *La Vie après la vie.*

Il peut falloir du temps pour intégrer le fait d'avoir connu la fusion ou l'amour, et ce n'est pas parce que l'on a fait ce type d'expérience que les névroses disparaissent comme par enchantement! On reste avec un psychisme humain, fragile. Néanmoins, en général, la vie gagne en profondeur. Les personnes se mettent à l'écoute de leur conscience, de leur esprit, s'engagent dans une vie plus « religieuse ».

> Avant mon expérience, j'imagine que j'étais comme la plupart des gens : je luttais pour avoir une meilleure image de moi. Mais j'ai vraiment expérimenté combien j'étais précieuse et aimée de Dieu – la Lumière – et on me le rappelle constamment dans ma vie quotidienne.

Presque tous les témoignages mettent l'accent sur l'amour du prochain, unique et profond.

> « Maintenant, je découvre que j'aime chacune des personnes que je rencontre. C'est très rare que je tombe sur quelqu'un que je n'aime pas. Et ça, c'est parce que j'accepte les gens sur le coup, comme des gens que j'aime... je ne les juge pas. Et les gens réagissent de la même manière. Je pense qu'ils le sentent chez moi. »
> Je pense souvent : « S'il m'accorde tant de valeur (je l'ai bien senti ce jour de janvier) peu importe que j'aie

une mauvaise opinion de moi-même. Je suis sûrement quelqu'un de valable. Il n'y a ni si, ni et, ni mais[27]. »

Constatation générale indubitable : quasiment tous les expérienceurs cessent de se dire athées dans les temps qui suivent leur expérience ! Ils ne peuvent plus ne plus croire en une après-vie...

Maintenant donc demeurent foi, espérance, amour, mais la plus grande c'est l'amour. Co 13, 13

Les EMI effrayantes

Pour finir, il faut retenir qu'il existe aussi des *EMI effrayantes* qui posent question.

Il est difficile d'en connaître le pourcentage[28] d'abord parce que ceux qui les expérimentent évitent d'en parler, préférant les refouler, on peut les comprendre ; ensuite parce qu'il est plus facile et plus gratifiant de les ignorer que de les prendre au sérieux et de se pencher plutôt sur les EMI agréables qui restent majoritaires (et il semble que beaucoup d'auteurs en soient restés là...).

C'est le cardiologue Maurice Rawlings qui le premier a raconté avoir réanimé un patient qui disait être en enfer avant de reprendre conscience[29]. On considère aujourd'hui ces cas particuliers, ne serait-ce que pour aider

---

27. Kenneth RING, *En route vers Omega*.
28. On les estime en général à 2 ou 3 % : pour la NDERF, sur des données à 5 mois, 7 cas sur 161 étaient des expériences effrayantes.
29. Maurice RAWLINGS, *Derrière les portes de la lumière*, Jardin des Livres, 2006.

ces personnes. Comme le dit Penny Sartori[30], il est avant tout nécessaire de soutenir les patients qui les vivent, de savoir les guider vers les thérapies appropriées, car ceux qui en souffrent ne savent pas toujours vers qui se tourner. Aujourd'hui, le centre Noesis, basé à Genève, propose aussi un soutien psychothérapique aux personnes qui ont vécu ces moments douloureux[31].

Les différentes études faites disent ne pas réussir à déterminer les raisons de ces expériences effrayantes. Les hypothèses proposées pour les comprendre sont très variées, dépendant plus des observateurs que des expérienceurs… Ce qui aurait été constaté, c'est que ce ne sont pas seules les « mauvaises personnes » qui rapportent de telles expériences… Peut-être, mais qui connaît le cœur de l'homme ? Peut-on porter un jugement extérieur sur les « bonnes ou mauvaises personnes » ?

Les divers témoignages font la démonstration que la vie dans l'au-delà n'est pas forcément rose, qu'elle dépend de celle que nous avons vécu sur terre, rejoignant par là l'expérience et l'enseignement de l'Église. Nous en donnerons un exemple éclairant dans le 5e témoignage, celui de Gloria Paulo : *J'ai frôlé l'enfer.* Finalement, *Ne passe-t-on pas un peu vite à côté d'une origine spirituelle ?*

On a raison d'appeler ces EMI « effrayantes » plutôt que « négatives » car en dépit de leur nature terrifiante et

---

30. Infirmière en soins palliatifs du Royaume-Uni, elle a fait un exposé sur le sujet à la 2e rencontre internationale sur les EMI, *Actes du Colloque*, Marseille, 9 et 10 mars 2013, S17 Production.
31. Centre NOESIS (Institut Suisse des Sciences Noétiques). Cf. www.issnoe.ch

traumatisante, ces expériences sont comme un avertissement de l'au-delà : les sujets reviennent persuadés qu'ils ont à changer de priorités pour ne pas vivre la même expérience après leur mort.

Car là où est ton trésor, là aussi sera ton cœur.

Mt 6, 21

2ᵉ témoignage :
« Le Ciel, ça existe pour de vrai ! »

C'est le titre d'un petit livre dans lequel un pasteur protestant dans le Nebraska aux USA raconte l'EMI de son fils prénommé Colton : il a fait un « aller et retour au Ciel » au cours d'une appendicectomie compliquée où il a miraculeusement conservé la vie. L'originalité vient de ce que cet enfant n'avait pas quatre ans au moment des faits et c'est par bribes qu'il racontera son histoire à ses parents stupéfaits. Les témoignages d'EMI d'enfants sont les plus touchants car les moins « pollués », les plus « vrais », les plus « vierges » pourrait-on dire.

Le Dr Melvin Morse, pédiatre, directeur d'un groupe de recherche sur les expériences aux frontières de la mort à l'Université de Washington, le souligne[32] :

> Chez les enfants, les expériences au seuil de la mort sont simples et pures, et aucun caractère culturel ou religieux ne vient les troubler. Ils ne la refoulent pas, comme le font souvent les adultes, et n'ont aucune difficulté à intégrer les implications spirituelles de la vision

---

32. Dans sa préface au livre de Betty J. EADIE.

de Dieu. Je n'oublierai jamais une petite fille de cinq ans qui, un jour, m'annonça timidement : « J'ai parlé à Jésus et il était gentil. Il m'a dit que c'était pas maintenant que je devais mourir. » Les enfants se souviennent bien plus souvent que les adultes de leur expérience au seuil de la mort, et il résulte de celle-ci qu'ils ont davantage de facilité, à l'âge adulte, à accepter et à comprendre leur propre spiritualité. Si, plus tard, ils en vivent une autre, elle est exceptionnellement forte et complète [...] Une gamine me confia un jour qu'elle avait compris à sa mort qu'elle possédait « une autre vie ». Elle m'avoua qu'elle avait entendu parler du Paradis au catéchisme, mais qu'elle n'y croyait franchement pas. Après être morte, puis revenue à la vie, elle n'éprouva plus aucune peur du trépas, car elle avait maintenant le sentiment d'en savoir un peu plus. Elle ne voulait pas mourir à nouveau, ayant appris que « la vie est pour vivre, et la lumière est pour plus tard ». Je lui demandai de quelle manière l'expérience l'avait changée, et elle me répondit après un long silence : « C'est bon d'être bon. »

Voici donc en résumé le récit de l'expérience rapportée par Colton dans *Le Ciel, ça existe pour de vrai*.

Quatre mois après son opération, passant en voiture près de l'hôpital où il avait été opéré, en réponse à sa mère qui lui demandait naïvement s'il s'en souvenait, Colton lui répond du tac au tac, d'une voix neutre et sans la moindre hésitation : *Oui, maman, je m'en souviens. C'est là que les anges ont chanté pour moi !* Et, avec un air sérieux : *Jésus a fait chanter les anges pour moi parce que j'avais tellement peur. Et ça allait mieux après.* Alors, stupéfait, son père lui demande : *Tu veux dire que Jésus était là ?* Réponse du garçonnet d'un signe de tête affirmatif (« comme s'il ne confirmait rien de plus remarquable que la présence d'une coccinelle dans le jardin ») : *Oui, Jésus était là - Dis-moi, où était Jésus ? - J'étais assis sur ses genoux.*

On s'imagine que les parents se demandent si vraiment tout cela est vrai. Or, le petit Colton leur révèle qu'il avait quitté son corps au cours de la chirurgie, un récit qu'il a authentifié en décrivant exactement ce que chacun de ses parents faisait dans une autre partie de l'hôpital tandis qu'on l'opérait.

Avec l'innocence désarmante et le franc-parler audacieux d'un enfant, Colton va continuer à raconter petit à petit ce qu'il a vécu seulement *durant 3 minutes…* soutient-il ! Il raconte des histoires lui ayant été transmises par des gens rencontrés là-bas qu'il ne connaissait pas ; il dit aussi avoir fait connaissance de membres de la famille morts depuis longtemps (son papi en particulier, qu'il reconnaît sur une photo quand il était jeune !). Étonnamment, il parle d'une petite sœur que sa mère a perdue par fausse-couche sans connaître même son sexe, qui est venue vers lui, disant qu'elle n'avait pas de nom parce qu'on ne lui en avait pas donné…

Il étonne ses parents en décrivant le Ciel avec des détails inédits correspondant précisément à la Bible, décrit Dieu comme *vraiment, vraiment grand* et combien il nous aime, assure que c'est Jésus qui nous reçoit au Ciel.

Sa façon à lui de dire qu'il n'a plus peur de la mort sera de répondre à son père qui lui expliquait qu'il risquait de mourir s'il courait en traversant la route : *Oh super, ça veut dire que je retournerai au Ciel !*

Par la suite, il répondra toujours aussi simplement aux questions qu'on lui posera. Oui, il a vu des animaux au Ciel, il a vu la Vierge Marie agenouillée devant le trône de Dieu et d'autres fois se tenant aux côtés de Jésus : *elle l'aime encore comme une maman,* précisera-t-il.

C'est Colton qui a trouvé le titre de ce livre écrit par Todd Burpo, six ans après les événements, en 2009, imprimé en 2011 en français aux éditions du Trésor caché (Canada).

Un film relate cette expérience, intitulé : *Heaven is for real* aux États-Unis, traduit en français par *Et si le Ciel existait ?* (sorti en 2014[33]).

---

33. On peut trouver le DVD sur www.clcfrance.com

Un vécu

J'ai reçu cet épisode de vie à Lourdes le 11 février 2014 à l'occasion de la Journée Mondiale du Malade instaurée par Jean-Paul II en 1992 en la fête de Notre-Dame de Lourdes, avec l'autorisation de le livrer tel quel. Il ne s'agit pas d'une EMI, certes, mais, néanmoins, d'une expérience similaire avec ouverture sur le Ciel dans ce qu'on pourrait appeler un *songe*, comme les Écritures en relatent beaucoup.

Le Seigneur m'a donné deux magnifiques garçons nés l'un en 1974 (décédé en 1994), l'autre en 1977. Il a voulu me donner un autre enfant. J'avais alors 33 ans. Mais pour des raisons diverses (que je regrette...) je n'ai malheureusement pas voulu assumer cette grossesse. Je me suis donc fait avorter en décembre 1982. Je n'avais, à l'époque, aucune conscience qu'il s'agissait vraiment d'un enfant. Mes raisons d'avorter étaient tellement fortes, que le fait de porter en moi la vie ne me venait même pas à l'esprit. Pour moi cet enfant n'existait pas, il n'y avait que du vide en moi. Et puis, l'avortement était permis, alors... Une dizaine d'années plus tard, alors que je ne pensais plus à cela, le Seigneur, dans sa bonté, m'a montré cet enfant dans une vision nocturne. Quelle ne fut pas ma surprise !
Voilà comment cela s'est passé. J'ai eu le sentiment de m'élever dans les airs, là-haut. J'ai rencontré un enfant serein (qui ressemblait un peu à mon deuxième garçon)

qui me dit être le mien et s'appeler Camille ! Il avait l'aspect d'un garçon d'une dizaine d'années, âge qu'il aurait eu sur terre. À côté de lui un autre enfant qui lui demande : « Tu ne lui en veux pas après ce qu'elle t'a fait ? » Camille de répondre : « Non, je lui pardonne. » Alors, là, j'étais abasourdie ! Moi qui n'avais rien demandé, j'avais appris brusquement : que j'avais un autre enfant, qu'il était au « Ciel », qu'il s'appelait Camille, qu'il m'avait pardonné gratuitement, généreusement, de l'avoir tué ! Merci Seigneur. Quelle grande grâce ! Je veux donc témoigner aujourd'hui que : un enfant est un enfant dès sa conception, qu'un avortement est un meurtre d'enfant, qu'il apporte de nombreuses souffrances à la mère (et peut-être à l'enfant), que nous devons prendre absolument conscience de cela. Mais le Seigneur, dans sa grande bonté, ne laisse perdre aucun de ses enfants qui sont heureux dans son Cœur de Père, merci mille fois, Seigneur ! Que le Seigneur est bon !

Historique et Actualité

L'EMI est l'un des phénomènes les plus importants
de la vie humaine,
il nous offre peut-être pour l'avenir la perspective
de comprendre de manière rationnelle
ce qu'est la vie après la mort.

Raymond Moody

Bref historique

Les témoignages sur les « signes de vie » rapportés de l'au-delà sont universels et de toutes les traditions religieuses. Les EMI ne sont pas des nouveautés d'un XXIe siècle tendance Nouvel Âge en quête de scoop! Il semble vraiment qu'elles ont de tout temps existé, relatées d'ailleurs le plus souvent dans la littérature chrétienne par des textes qui montrent de nombreux points de convergence avec les EMI actuelles.

Ainsi au VIe siècle, Grégoire de Tours, historien franc, rapporte le témoignage d'un certain Salvi qui, après avoir été cru mort, se réveille en s'écriant :

Ô Seigneur miséricordieux, qu'as-tu fait de moi pour me permettre de revenir dans ce lieu ténébreux qui sert d'habitation au monde alors que ta miséricorde dans le ciel était pour moi préférable à la vie détestable de ce monde ? [...] Lorsqu'il y a quatre jours vous m'avez vu inanimé dans la cellule qui tremblait, j'étais appréhendé par deux anges et transporté dans les hauteurs des cieux en sorte que je m'imaginais avoir sous les pieds non seulement ce monde du siècle hideux, mais encore le ciel, les nuages et les étoiles. Ensuite, par une porte plus brillante que cette lumière ineffable, l'ampleur indescriptible. Une multitude des deux sexes la couvrait en sorte qu'on ne pouvait absolument pas se rendre compte de la profondeur ni du front de cette foule... Et j'entendis une voix qui disait : « Que cet homme retourne dans le siècle parce qu'il est nécessaire à nos églises. » On entendait seulement la voix car celui qui parlait, il était absolument impossible de le discerner. [...] Après avoir prononcé ces paroles à la stupeur de ceux qui étaient présents, le saint de Dieu recommença à parler avec des larmes dans les yeux : « Malheur à moi parce que j'ai osé révéler un tel mystère[34]... »

Dans son livre[35], Michel Aupetit reprend plusieurs EMI datant du VIIIᵉ siècle (écrites par le moine et historien saint Bède le Vénérable) et du XIIᵉ siècle (de Guibert de Nogent)

---

34. Grégoire DE TOURS, *Histoire des Francs, Livre VII, chapitre I.*
35. *La mort, et après ?*, Salvator, 2007 et 2009.

qui relatent des faits superposables aux EMI actuelles : sortie du corps, accompagnement par un ou des anges, rencontre avec des proches décédés, vision et perception des conséquences de ses actes, visions d'endroits fleuris et délicieux, lumière ineffable, promesse de délices, regret de devoir revenir sur terre.

À la fin du Moyen Âge, vers 1500, Jérôme Bosch a peint le tableau appelé *L'ascension de l'homme béni vers l'Empyrée/ le paradis céleste*[36] qui montre soit qu'il était inspiré, soit qu'il en a fait lui-même l'expérience, tellement sa peinture correspond aux faits relatés.

Beaucoup de mystiques ont vécu des expériences analogues aux EMI au cours des siècles. Les plus connues : Catherine de Sienne (1347-1380), Thérèse d'Avila (1515-1582), Anne-Catherine Emmerich (1774-1824), et d'autres.

La première étude connue de ce phénomène a été conduite en 1892 par un géologue et montagnard suisse réputé, le professeur Albert Heim, qui vécut cette expérience lors d'un dévissage où il avait failli y laisser la vie. Il collecta et publia les sensations d'une trentaine d'alpinistes qui avaient vécu ce même type d'accident avec ce même genre d'expérience.

Quand Raymond Moody a commencé à parler de ces phénomènes de NDE[37], il était professeur de philosophie

---

36. Tableau exposé au palais des Doges à Venise.
37. Reprenant en fait l'expression proposée par le psychologue et épistémologue français Victor EGGER en 1896 dans *Le moi des mourants*, suite aux débats menés entre philosophes et psychologues, relatifs aux récits d'Albert HEIM dans les annales du Club Alpin Suisse.

et encore étudiant en médecine. Il raconte qu'il n'a pas été élevé dans la religion mais qu'il a été très tôt intéressé par la philosophie. En 1962, au cours de sa première année à l'Université de Virginie, il avait lu *La République* de Platon où il est raconté l'histoire d'un certain soldat nommé Er, déclaré mort sur le champ de bataille mais qui avait « ressuscité » spontanément. Son livre délie les langues. Il ne sera vraiment critiqué aux USA que par des fondamentalistes chrétiens.

Il faut dire qu'il avait aussi été sensibilisé par les études sur les mourants du Dr Elisabeth Kübler-Ross, la première à avoir abordé ce sujet de manière scientifique dans les années soixante. *Pour aborder l'être humain correctement,* disait-elle, *il faut l'aborder dans une dimension holistique : physique, émotionnelle, intellectuelle et spirituelle.* Et elle ne cessera de répéter : *Ma vraie tâche consiste à dire que « la mort n'existe pas ».* En 1977, le livre de Moody traverse l'Atlantique, grâce au célèbre parolier Paul Mizraki qui l'a traduit. D'autres le suivent sur cette voie, comme le cardiologue américain Michael Sabom.

En 1980, le journaliste Patrice van Ersel part enquêter aux États-Unis pour le magazine *Actuel* sur ce qui allait être une série : *La source noire*[38]. Dix ans après, il écrit *Réapprivoiser la Mort* où il montre combien la notion de NDE a été occultée en France, sous l'influence notamment d'ardents défenseurs de l'euthanasie (pendant que dans les pays anglo-saxons, on développait les soins palliatifs…).

38. Cf. son livre : *La Source noire. Révélations aux portes de la mort,* Livre de Poche.

Son livre va faire connaître l'antenne française de l'Association Internationale pour l'étude des États proches de la Mort, IANDS-France. Celle-ci est fondée en 1987 par Evelyne-Sarah Mercier qui reconnaît qu'elle se situe dans la mouvance du New-Âge, mouvement globalisant, se présentant comme le summum de l'évolution spirituelle de l'humanité[39]...

En France, le Dr Jean-Pierre Jourdan, responsable de la recherche médicale IANDS-France, publie *Les Preuves scientifiques d'une vie après la vie* et le Dr Jean-Jacques Charbonier, médecin anesthésiste réanimateur à Toulouse, *L'Après-Vie existe* (CLC Éditions, 2006). Le thème a fait alors l'objet d'un Colloque fondamental à Martigues en 2006, réunissant plus de deux mille personnes : *Les Premières rencontres internationales : L'Expérience de Mort Imminente. Actes du Colloque. Martigues 17 juin 2006* (S17 Production), lancé et organisé par une jeune femme remarquable passionnée par ce problème, Sonia Barkallah, qui témoigne avec simplicité que la découverte du livre du Dr Moody lui a sauvé la vie à une époque où elle était tentée par le suicide. Elle avait réalisé quatre ans auparavant un film documentaire sur le sujet : *Un autre regard sur la mort*, découvrant que de nombreux travaux et recherches étaient en cours aux quatre coins du monde dans des disciplines scientifiques extrêmement diverses[40].

---

39. Le Dr MOODY a toujours tenu à préciser qu'il n'en a jamais été.
40. Elle a réalisé un autre DVD : *Faux départ : Enquête sur les expériences de mort imminente*, en 2010 (www.S17production.com).

Enfin, en décembre 2013, sort le livre de Jeffrey Long *La vie après la mort* qui recense plus de 1 300 témoignages recueillis dans le monde entier – de toutes les croyances, de tous les âges et de toutes les origines. Seul le Web, qui n'existait pas avant, a pu permettre ce recensement à une époque où, je l'ai déjà dit, les réanimations devenues beaucoup plus fréquentes induisent plus d'EMI.

Bien sûr, les faits sont uniquement basés sur des témoignages individuels – et l'on sait combien les témoignages sont fragiles! Mais ce qui est fascinant, c'est qu'on peut dire d'abord qu'il s'agit d'une *expérience universelle* qui transcende les époques et les civilisations. *Les témoignages sont similaires* quelle que soit l'origine du sujet, l'époque où il vivait, son âge, son milieu social, son niveau intellectuel, sa religion ou son manque de foi, qu'il vive en Occident ou pas! Mais ils ne sont *jamais identiques*. Chacun le vit à sa façon et le retranscrit avec ses mots, sa culture, son tempérament, sa psychologie, sa mémoire: pas de « copier–coller »! Qui a vécu une EMI garde un souvenir absolument personnel des impressions éprouvées lors de cet état modifié de conscience.

Il faut aussi noter – est-ce étonnant? – que les expérienceurs gardent une grande sensibilité aux choses d'en haut (certains ont choisi le sacerdoce ou la vie religieuse à la suite de leur expérience). Des spécialistes, estimant qu'il est difficile de distinguer ce qui relève de la croyance ou de la réalité, ont essayé d'établir des indices et échelles pour mesurer la « qualité » des EMI[41]. C'est très contestable car peu utilisable en pratique et très marqué par une culture. En fait, avec un peu d'expérience et de feeling, il est assez facile de distinguer les gens sérieux qui ne racontent que ce qu'ils ont vécu de ceux qui font semblant ou en rajoutent en puisant ici ou là d'autres faits. De toute façon, on ne peut pas a priori douter systématiquement des témoignages quels qu'ils soient à moins de ne plus faire confiance du tout à la personne humaine[42]! Un témoignage vrai touche au plus profond, à la fois pour celui qui le donne (sa vie n'est plus la même) et celui qui la reçoit – combien j'en ai fait l'expérience à Lourdes à travers les déclarations de guérisons.

La question qui reste entière : pourquoi vivent-ils ce « faux départ », pourquoi est-ce que pour certains ce n'est pas l'heure, pourquoi leur est-il donné une deuxième chance ? Il n'y a pas de réponse générale[43]. L'heure de la mort ne dépend pas de nous, et heureusement ! En tout cas, celui qui revient sait pourquoi il est revenu ! Là encore, la réponse est entièrement personnelle mais se recoupe avec celle des autres.

---

41. Indice WCEI (*Weighted Core Experience Index*) établi en 1980 par le psychologue Kenneth Ring ou échelle de qualification des témoignages du psychiatre Bruce Greyson en 1983.
42. Les miracles reposent également sur des témoignages !
43. De même qu'il n'y a pas de réponse humaine au fait de savoir pourquoi untel est miraculeusement guéri et pas un autre…

Et actuellement ?

En tout cas, des scientifiques, assez audacieux pour affronter l'esprit critique de leurs pairs, tentent de comprendre ces étranges événements longtemps niés, sinon rejetés par la science, avec l'espoir de mieux comprendre l'origine et les mécanismes de la conscience. Armés des outils de l'imagerie cérébrale, ils explorent le cerveau, expérimentent sans a priori, prêts tout aussi bien à admettre que le phénomène est lié à un simple dérèglement neuronal qu'à reconnaître l'existence d'un sixième sens, pour autant que la démonstration en soit faite de manière rigoureuse. C'est le cas du Canadien Mario Beauregard, chercheur en neurosciences, qui installe des écrans vidéo dans une unité coronarienne d'un hôpital de Montréal pour étudier les phénomènes des expériences de NDE qui pourraient se passer. C'est aussi celui du neurologue suisse Olaf Blanke, qui décortique le sentiment de décorporation. Ou encore Eric Dutoit, docteur en psychologie clinique et psychopathologie, responsable de l'Unité de Soins et de Recherche sur l'esprit (USRE) au CHU Timone à Marseille.

La fondation internationale pour la recherche sur les expériences de mort imminente (NDERF) travaille avec des équipes de chercheurs sur les EMI ou les phénomènes de décorporation, en Suisse, au Canada, aux États-Unis… *Les expériences de mort imminente sont bien réelles,* soutient le fondateur de la NDERF, le Dr Jeffrey Long. *Les témoins de tous âges, de toutes nationalités et de toutes religions racontent souvent avoir vu ou entendu des choses, alors qu'ils étaient inconscients et loin de leur corps et aucune explication physiologique ne peut résoudre ce mystère.*

Ces expériences font aussi l'objet d'études en « parapsychologie scientifique ». Ainsi, la *Parapsychological Association*, regroupement de scientifiques et d'universitaires qui étudient les phénomènes de télépathie ou de psychokinésie, a-t-elle été admise au sein de la très sérieuse *American Association for the Advancement of Science* (AAAS) ; une division des études perceptuelles a été créée à l'Université de Virginie, aux États-Unis ; un centre pour l'étude des processus psychologiques anormaux s'est ouvert à l'université de Northampton, en Angleterre (qui compte déjà huit établissements universitaires intégrant des disciplines parapsychologiques) ; ou encore le Centre de recherche sur la conscience et la psychologie anormale à l'université de Lund, en Suède, ou le département de psychologie et parapsychologie de l'université d'Andhra, en Inde.

En France, depuis quelques années, l'université catholique de Lyon propose à ses étudiants une unité de valeur facultative intitulée : *Sciences, société et phénomènes dits paranormaux.*

En France encore, un centre d'étude des EMI, dirigé à Paris par le professeur de philosophie et psychologue Marc-Alain Descamps, recueille des témoignages. Sonia Barkallah, qui a fondé avec le Dr Jean-Pierre Postel le *Centre national d'étude, de recherche et d'information sur la conscience* (Cneric), travaille toujours sur le sujet.

Contrairement à ce qu'on pourrait imaginer, la science prend donc très au sérieux les EMI et les phénomènes similaires, même si Sonia Barkallah rappelle que *beaucoup de médecins et de chercheurs font encore le choix de ne pas s'impliquer, de peur d'être pris au mieux pour des farfelus, au pire pour des charlatans.*

Nous avons déjà parlé du Centre Noésis à Genève, ou Issnoe « Institut Suisse des Sciences Noétiques », créé en 1999, fondation reconnue d'utilité publique « consacrée à l'étude de la conscience à travers les États Modifiés de Conscience (EMC) non ordinaires » fondé par Sylvie Dethiollaz, directrice de recherche et Claude Charles Fourrier, psychothérapeute.

Signalons, enfin, le deuxième Colloque International organisé à Marseille par Sonia en mars 2013, toujours avec la présence du Dr MOODY, apportant de nouveaux éclairages sur les EMI[44]. En voici le résumé par Jocelin MORISSON :

> En 2006, les premières Rencontres à Martigues avaient posé les jalons sur la base du bilan de 30 années de recherche et de réflexion sur les EMI. Ces 2e Rencontres ont montré combien cette recherche est foisonnante, en dépit des difficultés, et combien la réflexion s'enrichit d'une ouverture nouvelle, qui n'est pas sans lien avec l'état d'hyper-crise de nos sociétés, voire avec

---

44. 2es rencontres internationales sur les EMI. Actes du Colloque. S17 Production, 2013.

une certaine « fin d'un monde » survenue en 2012. Oui il nous faut trouver des alternatives radicales, et la nouvelle vision de l'Homme à laquelle nous invite et nous incite l'étude des EMI est à même de nous conduire à réinventer – sinon simplement inventer – le vivre-ensemble en bouleversant notre rapport à la mort, et donc à la vie. Car les Expériences de Mort Imminente ne sont en fait pas les seules manifestations qui entourent l'approche de la mort. Les chercheurs et cliniciens considèrent aujourd'hui un ensemble de phénomènes péri-mortels (autour de la mort) qui incluent les EMI dites empathiques ou partagées – vécues par les proches et accompagnants d'un mourant[45] –, mais aussi les phénomènes de « conscience accrue à l'approche de la mort » – « visions des mourants » – « lucidité terminale », ainsi que les manifestations de « contacts avec les défunts » peu de temps après la mort. Difficile de ne pas reconnaître la proximité de ces expériences entre elles et la grande cohérence qui s'en dégage. C'est cette cohérence, et la difficulté croissante à en rendre compte dans le cadre de la science matérialiste-réductionniste, qui conduit même les plus rigoureux des penseurs tels que Raymond Moody à « céder », pour abandonner la posture sceptique originelle qui consiste à éviter de conclure et qui fut la sienne pendant 50 ans. Il se dit aujourd'hui finalement convaincu de la persistance d'une forme d'existence après la mort.

---

45. Phénomènes rares mais vérifiés, surtout relatés par le Dr Moody.

Lorsque ce corps corruptible aura revêtu l'incorruptibilité, et que ce corps mortel aura revêtu l'immortalité, alors s'accomplira la parole qui est écrite : La mort a été engloutie dans la victoire. Ô mort, où est ta victoire ? Ô mort, où est ton aiguillon ? 1 Co 15, 54-55

3ᵉ témoignage :
« Le paradis existe »

Le Dr Eben Alexander, neurochirurgien américain, spécialiste du cerveau, sceptique et cartésien, ne croyait résolument pas en une vie après la mort. Pour lui, tous les récits d'Expériences de Mort Imminente n'étaient que délires et fariboles. Jusqu'en novembre 2008 où une méningite foudroyante viendra ébranler ses convictions.

Dans une déclaration à la Une du célèbre hebdomadaire américain *Newsweek* et dans un livre intitulé *Proof of heaven* (Preuve du paradis)[46], il raconte sa propre expérience de mort imminente. Un voyage qui l'a convaincu de l'existence d'une vie après la mort.

Je suis moi-même le fils d'un neurochirurgien et j'ai grandi dans un environnement scientifique. Je comprends les mécanismes à l'œuvre dans le cerveau quand une personne est proche de la mort et j'ai toujours pensé qu'il y avait de bonnes explications scientifiques à ces voyages paradisiaques hors du corps que décrivent ceux qui ont échappé de peu à la mort. Le cerveau est

---

46. Trédaniel, 2013.

un mécanisme sophistiqué et fragile. Si vous diminuez dans des proportions infimes la quantité d'oxygène qu'il reçoit, vous provoquez une réaction. Rien de surprenant, donc, à ce que des gens victimes d'un traumatisme sévère reviennent de leur expérience avec des histoires étranges... Mais après sept jours passés dans le coma durant lesquels la partie humaine du cerveau, le néocortex, était inactif, j'ai expérimenté quelque chose de si profond que j'ai une raison scientifique de croire que la conscience survit après la mort. Je sais comment résonne aux oreilles des sceptiques une phrase comme la mienne. Aussi, je vais raconter mon histoire avec les mots et la logique du scientifique que je suis : il y a quatre ans, je me suis réveillé avec une migraine extrêmement violente. En quelques heures, mon cortex – la partie du cerveau qui contrôle la pensée et les émotions – a cessé de fonctionner. Les médecins de l'hôpital général de Lynchburg, en Virginie, où j'avais exercé, ont diagnostiqué une forme rare de méningite bactérienne qui frappe généralement les nouveau-nés. La bactérie E.coli avait pénétré mon fluide cérébrospinal et dévorait mon cerveau. Mes chances d'en réchapper autrement que dans un état végétatif étaient faibles quand j'ai été admis aux urgences. Très vite, elles sont devenues inexistantes. Mais pendant que les neurones de mon cortex étaient réduits à l'inactivité complète par la bactérie, ma conscience libérée du cerveau parcourait une dimension plus vaste de l'univers, une dimension dont je n'avais jamais rêvé et que j'aurais été ravi d'expliquer scientifiquement avant que je ne sombre dans le coma. J'ai vécu une odyssée où je me suis retrouvé dans un endroit rempli de gros nuages roses et blancs... Bien au-dessus de ces nuages, des êtres chatoyants se déplaçaient en arc de cercle dans le ciel, laissant de longues traînées derrière eux. Des oiseaux ? Des anges ? Aucun de ces termes ne fait vraiment justice à ces êtres qui étaient différents de tout ce que j'avais pu voir sur terre. Ils étaient plus avancés. Des êtres supérieurs.

Le Dr Eben ALEXANDER se rappelle également avoir entendu *un son, en plein essor comme un chant céleste qui venait d'au-dessus*, ce qui lui a procuré beaucoup de joie, et avoir ensuite été accompagné dans son aventure par une femme. *Elle était jeune, je me souviens d'elle dans les moindres détails. Elle avait des pommettes hautes, et des yeux incroyablement bleus ainsi que des tresses châtains qui encadraient son beau visage*, explique-t-il avant d'ajouter qu'ils se déplaçaient tous les deux sur les ailes d'un papillon. *En fait, des millions de papillons nous entouraient. C'était comme une rivière de vie et de couleur se mouvant dans les airs.*

Un délire ? Un dysfonctionnement cérébral ? Trop de morphine ? Le neurochirurgien, qui n'a jusqu'alors jamais cru aux EMI, assure que tout était bien réel et qu'il ne s'agissait pas « d'une fantaisie, éphémère et inconsistante ».

À ma connaissance, personne n'a jamais effectué ce voyage avec un cortex complètement hors service et sous une surveillance médicale durant sept jours de coma. Les principaux arguments avancés pour réfuter les expériences de mort imminentes induisent qu'elles sont le résultat d'un dysfonctionnement minime, transitoire ou partiel du cortex. Or, mon EMI n'est pas survenue pendant que mon cortex dysfonctionnait mais alors qu'il était totalement inactif. Un fait avéré par la gravité et la durée de ma méningite ainsi que par les scans et les examens neurologiques que j'ai subis. Selon les connaissances médicales actuelles sur le cerveau et l'esprit, il n'y avait absolument aucune chance que je conserve ne serait-ce qu'une lueur de conscience ténue et limitée durant cette période. À plus forte raison, il était impossible que je sois emporté dans cette odyssée éclatante et parfaitement cohérente. Là où je me trouvais, voir et entendre n'étaient pas deux fonctions séparées. Tout était distinct et, dans le même temps, faisait partie d'autre chose comme les motifs entremêlés d'un tapis persan. Je sais à quel point cela peut sembler extraordinaire et incroyable. Si, par le passé, quelqu'un – et même un docteur – m'avait raconté une telle histoire, j'aurais été certain qu'il était sous l'emprise d'une illusion. Mais ce qui m'est arrivé est très loin d'être une illusion. C'est un événement réel, aussi réel que tous les événements de ma vie, y compris mon mariage et la naissance de mes deux enfants.

Depuis cette expérience de mort imminente plus aucun doute ne subsiste pour le Dr ALEXANDER : la conscience n'est ni produite ni limitée par le cerveau comme la pensée scientifique dominante continue de le croire, et s'étend bien au-delà du corps.

Il est désormais évident pour moi que l'image matérialiste du corps et du cerveau comme producteurs plutôt que véhicules de la conscience humaine est caduque. À la place, une représentation nouvelle du corps et de l'esprit est déjà en train d'émerger. Cette représentation, à la fois scientifique et spirituelle, donnera de la valeur à ce qui a toujours été privilégié par les plus grands scientifiques de l'histoire : la vérité.

S'il lui a fallu des mois pour parvenir à accepter ce qui lui est arrivé et pour en parler sans détour, le docteur Eben ALEXANDER a récemment annoncé vouloir « passer le reste de sa vie à enquêter sur la nature véritable de la conscience, et prouver à ses pairs scientifiques mais aussi au reste du monde que nous sommes bien plus que seulement nos cerveaux. »

Un pari

« Dieu est, ou il n'est pas.

L'alternative s'impose, il faut en effet choisir car nous sommes de toute façon "embarqués" dans l'existence.

Soit Dieu n'existe pas, et je vis ma vie sans lui. Au moment de mourir, je prends le risque de découvrir tout ce que j'ai manqué!

Soit Dieu, qui est l'Amour, existe, et je décide de vivre toute ma vie sur terre avec Lui. Au moment de mourir, je découvre la Vérité!

Si je perds, je ne perds rien!

Si je gagne, je gagne tout!»

Blaise Pascal
Pensées
Ed. Brunsching n° 23

* * *

Un problème scientifique

Une seule certitude : il n'existe à ce jour aucune
explication rationnelle au phénomène NDE.
Tous les scientifiques qui ont tenté de démonter
les mécanismes de ces expériences
ont échoué de façon flagrante.
Dr Jean-Jacques Charbonnier

Quand je parle des EMI à des confrères, la plupart rétorquent d'emblée : « Les EMI ? Ce ne peut être qu'un phénomène naturel. On en trouvera bien un jour une explication rationnelle. » Ils rejettent en bloc ces expériences trop personnelles, estimant que ce qui pourrait se passer « après la mort » ne peut de toute façon pas être l'objet d'études expérimentales. Or, devant la multiplicité actuelle de ce genre de faits et la concordance des récits, on ne peut décemment plus se contenter d'éliminer le problème ou se permettre de récuser ces faits d'un revers de manche.

Mettons à part ceux qui font profession de dénigrer systématiquement tout ce qui pourrait toucher plus ou moins au spirituel (les EMI en font partie, nous ne pouvons que l'admettre) : c'est le cas, aux USA, de la *Skeptics Society*, en France, de la *zététique,* ou de certains auteurs comme Michel Onfray ou Philippe Wallon.

Devant ces phénomènes qui rentrent mal dans l'opus habituel de la science, les vrais scientifiques posent deux questions fondamentales : *Les EMI existent-elles* réellement ? *Comment les expliquer ?*

Avant de répondre, soulignons un point important : sur le plan médical, il est indispensable de distinguer la mort clinique de la mort biologique.

La *mort clinique* se signale par des signes subjectifs : mydriase bilatérale non réactive, arrêt cardiaque et électroencéphalogramme (EEG) plat. Dans les 15 à 20 secondes qui suivent un arrêt cardiaque, il se produit en effet une cessation de l'activité cérébrale vérifiable par un EEG plat : le cortex ne fonctionne plus, il n'y a plus d'activité sensorielle possible. Cette *mort cérébrale* est aujourd'hui considérée comme *l'état de mort clinique.*

Au-delà de vingt minutes, les lésions cérébrales sont le plus souvent gravissimes et irréversibles. Une réanimation n'est généralement possible que dans les trois à dix minutes. De même, le prélèvement d'un organe pour greffe doit s'effectuer peu de temps après l'arrêt de la circulation sanguine, mais sur une personne « présentant un arrêt cardiaque et respiratoire persistant » (maintenus artificiellement grâce à des appareils de réanimation), chez laquelle il a été diagnostiqué un état de *mort encéphalique*[47]. On

---

47. Terme utilisé aujourd'hui plutôt que « mort cérébrale » pour bien préciser qu'il s'agit de la perte totale de toutes les fonctions neurologiques, pas seulement des

voit que ce n'est pas évident : alors que le cerveau n'est plus fonctionnel[48], il faut prélever un organe vivant sur un corps mort (dont la respiration est maintenue artificiellement pour garder intacts ses organes)[49] !

La *mort biologique*, elle, est la mort définitive, irréversible, dont le signe patent est le début de décomposition.

Réalité scientifique des EMI

Il est d'abord fondamental de préciser que *les EMI ne surviennent pas après la mort définitive*, mais *à la frontière de la mort*, quand la vie n'a pas totalement disparu, que des cellules vivantes peuvent rester. *Les EMI se manifestent avant la mort biologique irréversible.* C'est bien pourquoi on parle de « mort imminente ».

Il n'en reste pas moins que *les EMI surviennent après la « mort clinique »*, c'est-à-dire après l'arrêt cardiaque certes, mais aussi *après l'arrêt d'activité du cortex cérébral* ! C'est ce qui pose question, mais des expériences précises le prouvent.

Ainsi, un médecin cardiologue, néerlandais, le Pr. Pim van Lommel, publiait dans la prestigieuse revue *The Lancet* du 15 décembre 2001[50], une étude scientifique sur le sujet,

---

hémisphères cérébraux.
48. L'analyse par PET-Scan du cerveau lors d'un arrêt cardiaque semble indiquer qu'il conserve encore une activité physiologique résiduelle (pendant un « certain temps »…) qui le différencie d'un « cerveau mort ».
49. Cf. Mgr Pierre d'Ornellas, *Bioéthique : propos pour un dialogue*, Lethielleux / DDB, 2009, chap. II.
50. *Expérience de Mort Imminente après un arrêt cardiaque.*

rassemblant les témoignages de 344 patients réanimés avec succès d'un coma secondaire à un arrêt cardio-vasculaire, considérés comme cliniquement morts, c'est-à-dire dans un état d'inconscience provoqué par un apport insuffisant de sang dans le cerveau (mort cérébrale). Les témoignages ont été recueillis peu de temps – au maximum une semaine – après l'événement (précaution indispensable pour éviter tout souvenir enjolivé ou fantasmé) : seuls 18 % des personnes interrogées décrivaient une EMI « classique » avec expérience de sortie du corps. Ce qui veut dire que ce n'est pas l'anoxie du cerveau causée par une circulation sanguine insuffisante qui provoque une EMI.

Autre expérimentation, celle du Dr Sam Parnia, médecin cardiologue à l'hôpital général de Southampton (GB), spécialiste en médecine interne et respiratoire, et en soins intensifs, chercheur au *Weill Cornell Medical Center* de New-York[51] : en référençant 69 personnes victimes de crises cardiaques déclarées mortes et revenues à la vie, qui n'ont reçu ni oxygène ni aucune substance susceptible de provoquer des hallucinations, a constaté qu'en cas de mort déclarée, lorsque le cerveau ne produit plus aucune activité (EEG plat), 10 à 20 % des patients peuvent vivre une EMI.

Il apparaît donc nettement que, même quand le cerveau a cessé de fonctionner, *la conscience peut se poursuivre* : *Les preuves suggèrent que, dans les premières minutes après*

---

51. Auteur d'un livre publié en 2005 : *What happens when we die ?* (Que se passe-t-il quand nous mourons ?).

la mort, la conscience n'est pas annihilée. Nous ne savons pas si elle s'estompe ensuite mais directement après la mort, la conscience n'est pas perdue, explique le Dr Sam Parnia au *Daily Mail* du 07/11/2014.

Pourtant, continue-t-il : *Nous savons que le cerveau ne peut pas fonctionner quand le cœur a cessé de battre.* Les résultats de l'étude sont donc *importants,* sachant que jusqu'à présent, les médecins *supposaient que les expériences relatées de vie après la mort étaient en réalité des hallucinations survenant soit avant que le cœur se soit arrêté, soit après que le cœur a été redémarré avec succès,* poursuit-il, mais pas une expérience correspondant à des *événements réels lorsque le cœur du patient ne battait plus.* D'autant que dans le cas présent, *les souvenirs racontés étaient compatibles avec les faits,* déclare le scientifique.

Ces études très fouillées aboutissent à éliminer les hypothèses avancées pour dénigrer les EMI, qu'elles soient physiologique, psychologique, pharmacologique ou neurochimique : il ne peut s'agir d'anoxie cérébrale, d'hallucination, ou de désordre neuronal ou hormonal.

Une NDE peut se produire durant une perte fonctionnelle transitoire de toutes les fonctions du cortex et des cellules nerveuses. Les EMI peuvent se produire sans aucun médicament. Rien ne peut expliquer la première phase de paix et de sérénité ressentie par les agonisants, ni la rencontre d'autres êtres inconnus auparavant, ni la faculté de visionner une scène depuis un point de vue extérieur du corps, ni de se souvenir de détails précis ou de voir des objets dans la pièce voisine, ni de décrire les gestes des soignants, ce qu'ils ont dit ou même pensé, ni la transformation qui suit, etc...

Ce qui veut dire que les personnes qui vivent une EMI ont « *un processus de pensée et une certaine forme de conscience* » (Dr Sam Parnia) indépendants des fonctions cérébrales. Leurs perceptions semblent même décuplées, la conscience plus aiguisée...

Nous sommes devant un processus qui dépasse toutes les possibilités physiologiques.

Un défi scientifique

Ces expériences posent la question de la conscience : c'est là que résident les pensées, les sentiments, les souvenirs... Mais la conscience elle-même, où réside-t-elle ? Comment est-elle reliée au corps extérieur ? Qu'est-ce que la conscience finalement ?

Cet état de conscience qui se poursuit chez un individu cliniquement mort pose un défi scientifique majeur car les concepts médicaux dominants affirment que c'est le cerveau et rien que le cerveau qui produit la pensée, ce qui n'est pas démontré ! Rien n'a jamais été scientifiquement prouvé : depuis des décennies, des recherches importantes ont été conduites pour localiser la conscience et la mémoire à l'intérieur du cerveau, mais sans succès. La science n'a à l'heure actuelle aucune idée de la façon dont les cellules cérébrales pourraient engendrer des pensées.

Ceux qui défendent cette théorie s'opposent bien sûr à la réalité des EMI, car si des EMI existent quand la fonction cérébrale est morte, c'est qu'il y a une autre origine.

Or, on l'a vu avec l'étude du Dr Sam Parnia – et le Pr Van Lommel le montre aussi clairement dans ses publications – *La conscience peut fonctionner indépendamment de l'activité cérébrale.* De même, les travaux du médecin pédiatre américain, le Dr Melvin L. Morse, spécialiste des EMI chez les enfants, en arrivent à la conclusion que le lobe temporal droit connecterait les souvenirs à une banque de données universelles, agissant comme un récepteur-transmetteur[52].

Ceci amène donc à penser que le cerveau ne produit pas la pensée mais ne fait que la transmettre, il serait un filtre pour la conscience. En avançant que *les EMI ne peuvent s'expliquer que par une séparation de la conscience d'avec le corps,* les travaux des défenseurs des EMI suggèrent que la conscience est séparée du cerveau[53], *révolutionnant les concepts adoptés jusqu'ici par la communauté scientifique.*

On en arrive alors à la conclusion que le cerveau n'est qu'un émetteur/récepteur comme un poste de radio : lorsqu'un poste de radio est abîmé, il ne peut plus transmettre la musique, quand l'orchestre continue de jouer !

Le Dr van Lommel pose alors une série de questions qui font réfléchir : *Est-ce que la mort cérébrale équivaut*

---

52. Melvin MORSE, *La divine connexion,* Ed. Le Jardin des Livres, pages 61 et 76-77.
53. Exposé au *California Institute of Technology* (USA) le 21 juin (Dr JOURDAN...).

réellement à « la mort » tout court, ou est-ce seulement le début du processus de mort qui peut durer plusieurs heures ou jours ? Qu'arrive-t-il à la conscience au cours de cette période ? Devrions-nous considérer également la possibilité qu'une personne cliniquement morte au cours d'un arrêt cardiaque puisse rester consciente, et même la possibilité qu'il puisse subsister une conscience après que cette personne soit réellement morte, quand son corps est froid ? Comment la conscience est-elle reliée à l'intégrité de la fonction cérébrale ? Est-il possible de comprendre la nature de cette relation ? [54] »

Ces interrogations sont intéressantes à plus d'un titre, certes inacceptables pour les matérialistes, mais apportant de l'eau au moulin des scientifiques ouverts au transcendant.

En tout cas, si on arrive ainsi à cette conclusion qu'il y a bien « continuité de la conscience », qui peut être éprouvée indépendamment de l'activité cérébrale, ceci devrait entraîner un profond changement dans le paradigme de la médecine occidentale et pourrait avoir des implications pour les questions de pratique et d'éthique médicale, comme la prise en charge des patients comateux ou mourants, l'euthanasie, l'avortement, les transplantations d'organes, etc. Ce serait une grande avancée éthique !

Et cette hypothèse d'une *conscience* indépendante du corps semble bien rejoindre ce que les religions admettent depuis des millénaires ! Nous allons le détailler dans la tradition chrétienne.

---

54. Actes du 1er Colloque de Martigues, page 44.

Nous le savons, en effet, même si notre corps, cette tente qui est notre demeure sur la terre, est détruit, nous avons un édifice construit par Dieu, une demeure éternelle dans les cieux qui n'est pas l'œuvre des hommes. 2 Corinthiens 5,1

4ᵉ témoignage :
« La vie en sursis »

Pour comprendre l'histoire ci-après, il faut remonter fort loin, au Moyen-Orient, 1 200 ans avant Jésus-Christ : un peuple, les fils d'Israël, descendant d'Abraham, s'installe au pays de Canaan ; il professe la foi en un Dieu unique qui l'a sauvé de l'esclavage du pays d'Égypte pour les conduire sur cette terre de liberté. Unis à Dieu par l'écoute de sa Parole grâce aux prophètes qui se sont succédé, leur longue histoire va marquer l'humanité tout entière.

Entre l'an -4 et -7 naît à Bethléem de Judée un enfant nommé Jésus, de Marie, sa mère, épouse de Joseph, charpentier de Nazareth. À 30 ans, Jésus parcourt la Palestine avec ses disciples et douze apôtres qu'il s'est choisis. Il se présente comme le Fils de Dieu venu dans le monde pour appeler les hommes à la Vie véritable, annonçant la Bonne Nouvelle du Salut, guérissant les malades et pardonnant les péchés : *Venez à moi, vous qui peinez et ployez sous le poids du fardeau, et moi je vous soulagerai ! Chargez-vous de mon joug et mettez-vous à mon école, car je suis doux et humble de cœur, et vous trouverez le repos.* Mt 11,28-29

En même temps, les conditions pour cette vie nouvelle qu'il propose sont très exigeantes : *Si quelqu'un veut venir à ma suite, qu'il se renie lui-même, qu'il se charge de sa croix, et qu'il me suive. Qui veut en effet sauver sa vie la perdra, mais qui perdra sa vie à cause de moi la trouvera. Que servira-t-il donc à l'homme de gagner le monde entier, s'il mine sa propre vie ? Ou que pourra donner l'homme en échange de sa propre vie ? C'est qu'en effet le Fils de l'Homme doit venir dans la gloire de son Père, avec ses anges, et alors il rendra à chacun selon sa conduite. En vérité je vous le dis : il en est ici présents qui ne goûteront pas la mort avant d'avoir vu le Fils de l'Homme venant avec son Royaume.* Mt 16, 24-28

À la veille d'être livré et cloué en croix à Jérusalem vers l'an 30, Jésus réunit ses apôtres pour célébrer avec eux le repas de la Pâque. Pendant ce repas, Jésus offre son Corps et son Sang pour le rachat de l'humanité et son entrée dans la vie éternelle. Le lendemain, il meurt crucifié entre deux brigands. Trois jours après et dans les semaines qui suivent, il se présente à ses disciples, ***revenu d'entre les morts***, ressuscité. Ils en témoigneront jusqu'au martyre. Lui ne mourra plus. Vivant, il « s'élèvera au Ciel » disparaissant à leurs yeux après leur avoir promis l'Esprit de Dieu, l'Esprit-Saint, qu'ils recevront le jour de la Pentecôte.

Ceci rappelé, voici le témoignage de ***Natalie Saracco*** que je vous invite fortement à regarder si vous le pouvez :

- soit sur YouTube : www.youtube.com
- soit sur KTO : http://www.ktotv.com/
videos-chretiennes/emissions/nouveautes/
un-coeur-qui-ecoute-natalie-saracco

Avant, il faut lire d'abord au chapitre 19 de l'Évangile de saint Jean, les versets 31 à 34 :

*Après la mort de Jésus sur la croix, comme c'était le vendredi, il ne fallait pas laisser des corps en croix durant le shabbat (d'autant plus que ce shabbat était le grand jour de la Pâque). Aussi les Juifs demandèrent à Pilate qu'on enlève les corps après leur avoir brisé les jambes. Des soldats allèrent donc briser les jambes du premier puis du deuxième des condamnés que l'on avait crucifiés avec Jésus. Quand ils arrivèrent à celui-ci, voyant qu'il était déjà mort, ils ne lui brisèrent pas les jambes, mais **un des soldats avec sa lance lui perça le côté**, et aussitôt, il en sortit du sang et de l'eau.*

«En 2008, Natalie a eu un terrible accident de voiture à 130 km/h sur l'autoroute. Incarcérée dans le véhicule, elle avait tous les signes d'une hémorragie interne, étouffant, crachant du sang. Peu à peu, elle sentait physiquement la vie lui échapper. Puis, dit-elle[55], *dans un « lieu » hors des limites de l' «espace-temps», je me suis retrouvée tout près de Jésus qui était revêtu d'une tunique blanche.* Elle vivait une très belle EMI. D'un seul coup, elle s'est retrouvée en face du Christ lui montrant son cœur transpercé entouré d'une couronne d'épines.

---

55. Interview dans le mensuel *Il est Vivant*, Nº 314 d'avril 2014, pages 26 à 33.

Il pleurait et de son Cœur s'écoulaient des larmes de sang. Et ses larmes s'écoulaient dans mon propre cœur. C'est comme s'il voulait que je ressente sa terrible souffrance. C'était un tel concentré de souffrance que j'ai oublié ma peur de mourir, ceux que je quittais. Et je lui demandais : « Seigneur, mais pourquoi tu pleures ? » – « Je pleure parce que vous êtes mes enfants chéris, que j'ai donné ma vie pour vous, et, qu'en échange, je n'ai que froideur, mépris et indifférence. Mon cœur se consume d'un amour fou pour vous, qui que vous soyez. »

Natalie Saracco précise qu'elle connaissait l'amour de Dieu pour tous, mais elle n'imaginait pas un amour aussi brûlant qui dépasse tout ce que l'on peut imaginer. Et, dans un autre élan spontané, elle dit à Jésus :

Seigneur, quel dommage de rendre l'âme maintenant que je sais que tu nous aimes à la folie ! Je voudrais pouvoir revenir sur terre pour témoigner de ton amour fou pour nous et consoler ton Sacré-Cœur !

Elle continue :

Au moment précis où j'ai dit ça, je me suis retrouvée comme une petite chose fragile devant une nuée : c'était l'heure de mon jugement devant le tribunal céleste. Et j'ai entendu une voix dire : « Vous serez jugés sur l'amour vrai de Dieu et des frères. » Après ces paroles, j'ai été comme réinjectée dans mon corps : une sensation de chaleur a parcouru tout mon être des pieds à la tête. Je me suis arrêtée net de cracher du sang. Les pompiers m'ont sortie de la voiture. À l'hôpital, les médecins n'ont pas compris comment je pouvais être encore en vie après un tel crash. C'était inexplicable. De plus, je baignais dans une paix et une joie extraordinaire. Moi qui étais une écorchée vive, tout s'était comme réordonné, apaisé en moi.

Voilà une très belle EMI, avec, en plus, un témoignage qui rejoint étonnamment les apparitions d'une religieuse de la Visitation à Paray-le-Monial en... 1675, sainte Marguerite-Marie[56]. Au cours de plusieurs apparitions, dans un moment d'extase, le Christ lui était apparu et lui exprima son amour en lui montrant aussi son cœur transpercé, lui disant : *Voilà ce cœur qui a tant aimé les hommes qu'il n'a rien épargné jusqu'à s'épuiser et se consumer pour leur témoigner son amour. Et, pour reconnaissance, je ne reçois de la plupart que des ingratitudes.*

Le cœur transpercé du Christ – le Sacré-Cœur – est le signe paradoxal de la victoire de l'Amour sur la mort. Ce signe est un appel lancé pour que notre cœur s'unisse à celui du Christ pour s'ouvrir pleinement et résolument à l'amour, et trouve par là le chemin de la vie véritable[57].

---

56. Que Natalie Saracco ne connaissait pas au moment de son accident.
57. Cf. www.sanctuaires-paray.com
Des retraites et sessions sur le Cœur de Jésus ont lieu toute l'année en ce haut lieu de Paray-le-Monial.

Deux pensées

« C'est une étrange faiblesse de l'esprit humain que jamais la mort ne lui soit présente, quoiqu'elle se mette en vue de tous côtés et en mille formes diverses. On n'entend dans les funérailles que des paroles d'étonnement de ce que le mortel est mort. Chacun rappelle en son souvenir depuis quel temps il lui a parlé et de quoi le défunt l'a entretenu ; et tout d'un coup il est mort. Voilà, dit-on, ce que c'est que l'homme ! Et celui qui le dit, c'est un homme ; et cet homme ne s'applique rien, oublieux de sa destinée ! Ou s'il passe dans son esprit quelque désir volage de s'y préparer, il dissipe bientôt ces noires idées. Et je puis dire, Messieurs, que les mortels n'ont pas moins de soin d'ensevelir les pensées de la mort que d'enterrer les morts mêmes. »

Bossuet

« Ce qui se passe de l'autre côté, quand tout pour moi aura basculé dans l'Éternité… Je ne le sais pas! Je crois, je crois seulement qu'un grand Amour m'attend. Je sais pourtant qu'alors, pauvre et dépouillé, je laisserai Dieu peser le poids de ma vie. Mais ne pensez pas que je désespère… Non, je crois, je crois tellement qu'un grand Amour m'attend. Maintenant que mon heure est proche, que la voix de l'Éternité m'invite à franchir le mur, ce que j'ai cru, je le croirai plus fort au pas de la mort. C'est vers un Amour que je marche en m'en allant, c'est vers son Amour que je tends les bras, c'est dans la vie que je descends doucement. Si je meurs, ne pleurez pas, c'est un Amour qui me prend paisiblement. Si j'ai peur… et pourquoi pas? Rappelez-moi souvent, simplement, qu'un Amour m'attend. Mon rédempteur va m'ouvrir la porte de la joie, de sa Lumière. Oui, Père! Voici que je viens vers toi comme un enfant, je viens me jeter dans ton Amour, ton Amour qui m'attend. »

Saint Jean de la Croix

Approche religieuse

Notre vie n'est qu'un séjour transitoire,
une traversée sur un océan d'énigmes impétueuses :
la vraie vie nous attend au rivage !

Christian Charrière

Du point de vue religieux, on ne peut pas être indifférent aux EMI. Le sens de la vie, les questions existentielles, la confrontation à la mort sont des questions qui débouchent le plus souvent sur une interrogation métaphysique ou religieuse.

Le christianisme professe que le Christ est le fils de Dieu qui a vécu sur terre en Palestine il y a 2000 ans, qu'il a souffert pour nos péchés, qu'il a donné sa vie pour nous, qu'il est ressuscité, revenu d'entre les morts, pour être à jamais Vivant. Il est notre Sauveur : par sa mort, il a vaincu la mort, la mort a été mise à mort ! Grâce à Lui, la Vie éternelle nous est offerte, chacun pourra se retrouver en présence de Dieu et ressusciter dans son corps. Un chrétien peut tout à fait s'en tenir là, toute sa foi est parfaitement résumée dans le *Credo*.

Les EMI viennent en plus…

On peut certes s'en passer, comme on peut se passer des miracles actuels pour la foi... Personne n'est obligé d'y croire. Ce sont des signes qui nous sont donnés gratuitement. Et un signe laisse toujours libre. Mais s'ils existent, pourquoi les ignorer et, même, les refuser ? Bien sûr, la prudence reste de mise, comme elle l'est d'ailleurs pour d'autres faits surprenants comme les apparitions ou les phénomènes mystiques... Certes, les miracles font partie intégrante du corpus de l'Église catholique, ce qui n'est pas du tout le cas des EMI, considérées comme des faits extraordinaires risquant surtout d'induire du merveilleux avec un risque d'illuminisme ou de fidéisme[58]. Aussi, ne faut-il pas s'étonner que l'interprétation des EMI par les clercs soit très diverse...

Pour le théologien suisse **Hans KUNG**, *Les EMI existent : il n'y a pas à les nier mais à les interpréter.*

Mgr Jean VERNETTE, qui a été délégué de l'épiscopat français pour les questions concernant les sectes et nouveaux phénomènes religieux, tenait beaucoup à distinguer EMI et foi chrétienne, vie éternelle et état de conscience altérée, résurrection et réincarnation, théologie spirituelle et parapsychologie. En cela, il avait tout à fait raison. Mais, à ma connaissance[59], il ne se prononce pas vraiment sur la réalité des EMI.

---

58. Croire sans l'apport de la raison ! Ce qui peut être le cas aussi de ceux qui voient partout des miracles ou des apparitions et s'appuient avant tout sur eux pour croire...
59. *D'une vie à l'autre* d'Evelyn ELSAESSER-VALARINO (2000), pages 271 à 292.

Celui qui a le plus écrit sur le sujet, est un théologien assez indépendant, atypique, non conformiste, volontiers critique envers l'Église institutionnelle, **le Père François Brune**[60]. Son étude est passionnante quoiqu'il soit dommage qu'il mélange le thème des EMI avec un tout autre domaine, celui de la TCI ou *Trans-Communication Instrumentale* qui tente de communiquer avec les morts à travers des appareils électroniques. C'est regrettable, car on sait que chercher à communiquer avec les défunts risque de faire tomber sur des entités infernales dangereuses.

Le Père Brune admet d'ailleurs lui-même que la recherche de tout ce qui est paranormal ou parapsychologique peut conduire à une véritable catastrophe notamment chez les personnes à l'équilibre psychologique fragile, justement souvent particulièrement attirées par ces phénomènes. Il reconnaît également que la communication voulue avec l'au-delà (même un phénomène qui peut paraître bénin comme « l'écriture automatique »), peut conduire à la « possession ».

Ceci étant, le Père Brune apporte des réflexions intéressantes sur les EMI à partir de nombreux exemples types. Il admet qu'au moment de la mort, quand nous serons comme *aspirés en Dieu, mais il nous faudra certainement un temps de purification, nécessaire pour la simple raison que nous ne pourrions pas le supporter encore.* Il rejoint par là la doctrine du Purgatoire[61] : *Pour pouvoir vivre de la vie*

---

60. En particulier *Les morts nous parlent* (deux tomes), Le livre de Poche, 2012.
61. Cf. la fin de ce chapitre.

de Dieu, il faut avoir appris à aimer comme lui dit-il, et *l'évolution spirituelle se poursuit dans l'au-delà.* Il souligne encore : *La grande loi qui se dégage très nettement de tous ces témoignages de l'au-delà, c'est le respect absolu de notre liberté. La conséquence de ce respect absolu, c'est que notre évolution et la vitesse de notre évolution d'étape en étape, de monde en monde, dépendront de la bonne volonté de chacun.*

Pour lui, *c'est dès la mort que nous obtenons notre état définitif, sans que l'on ait à attendre la fin des temps pour retrouver un corps. Au terme de notre vie terrestre, l'âme, grâce à la puissance de l'esprit qui l'a transformée, se reforme en corps glorieux, lumineux, qui est l'empreinte en elle du corps matériel qu'elle a laissé sur la terre et qui disparaît.*

À l'opposé, beaucoup de religieux, de par leur culture et leur formation, ne peuvent admettre ce phénomène extravagant. Au mieux, ils insistent simplement sur le fait que ces expériences ne sont pas nécessaires à la foi, que tout est donné par la Révélation.

Certes, on peut en effet très bien se contenter de Moïse, des prophètes, de ce que nous ont dit Jésus et les apôtres dans les Écritures, de toute la Tradition chrétienne. On peut s'en tenir à ce qu'on sait de la mort, de la Résurrection des morts et de la Vie éternelle telles qu'exprimées dans le *Credo*. Mais, après tout, pourquoi Dieu ne ferait-il pas signe aujourd'hui à notre monde, comme c'est le cas pour le Linceul de Turin qui interpelle spécifiquement les hommes de notre temps ? En quoi cela serait-il gênant ?

Qu'avons-nous à perdre ? Il ne s'agit pas de prouver quoi que ce soit : la foi ne repose pas sur des preuves… J'estime tout de même que des « indices pensables » sont intéressants, qui conjuguent de façon claire et limpide la raison et la foi.

D'ailleurs, comme nous le verrons, l'Église peut admettre (après, bien sûr, tout un travail d'authentification sur tous les plans) l'existence d'apparitions, de miracles ou encore de phénomènes extraordinaires difficilement explicables survenant chez des saints et mystiques : extases, ravissements, bilocation, etc. qui, pourtant, dépassent l'entendement.

Et puis, nous avons le point de vue des clercs qui défendent la réalité des EMI, comme **Mgr Michel Aupetit**, prêtre médecin, un temps évêque auxiliaire du diocèse de Paris et aujourd'hui évêque de Nanterre[62]. Son livre *La mort, et après ?*, réédité, est à lire[63].

Pour les religions en général, et pour le catholicisme en particulier, il s'agit d'abord de rechercher les raisons neurophysiologiques de ces manifestations dites extraordinaires. Si la recherche scientifique peut leur donner une explication logique, il convient de la recevoir sérieusement. Il faut distinguer les expériences de mort imminente, qui se produisent chez des patients en état

---

62. J'ai découvert aussi sur le Web que Mgr A.-M. Léonard, archevêque de Malines-Bruxelles, avait la même opinion : cf. http://questions.aleteia.org/.
63. Éditions Salvator, 2009.

de mort clinique dont l'électroencéphalogramme plat traduit l'absence d'activité cérébrale, des expériences extraordinaires vécues par des patients sous l'empire d'une drogue ou de phénomènes hallucinatoires d'origine indéterminée.

Actuellement, aucune explication psychologique, pharmacologique ou neurophysiologique ne permet de comprendre ces expériences à l'approche de la mort. Si on les compare avec ce que nous croyons comme chrétiens, il n'y a rien qui soit en contradiction avec notre foi dans la vie éternelle.

Quoi qu'il en soit, il n'est pas possible de faire fi de toutes ces expériences subjectives, en particulier lorsqu'elles se généralisent et se recoupent de manière aussi étonnante. Il convient tout d'abord d'y prêter attention en respectant les personnes qui les ont vécues et qui se sentent souvent blessées par les sarcasmes des incrédules. Il faut en rechercher les causes naturelles, s'il y en a, et ne pas se laisser entraîner à des réactions épidermiques ou exaltées. En tout état de cause, pour les croyants, c'est l'occasion de revisiter avec fruit le contenu de leur espérance, de leur foi, et d'en tirer les conséquences, comme le font la plupart de ces expérimentateurs pour vivre une vie meilleure, plus harmonieuse avec Dieu et avec les autres.

Tout son propos est à retenir ! Le Père Aupetit aborde ensuite la question fondamentale du moment où la vie « existentielle » s'efface, *l'heure de la mort.*

La médecine a toujours eu du mal à la préciser : c'est un des diagnostics cliniques les plus difficiles à poser, comme celui du début de grossesse (les deux extrémités de la vie !). On a vu dans le chapitre précédent qu'il faut distinguer la mort « clinique » de la mort « biologique », que les EMI surviennent entre la mort clinique et la mort biologique.

Pour les théologiens, il existe aussi ce qu'ils appellent la *mort métaphysique* ou *mort ontologique* : c'est le moment de la séparation effective et définitive de l'âme spirituelle et du corps. C'est la dernière frontière ! Elle ne correspond pas forcément à la mort biologique. Il peut en effet exister un laps de temps – pas si court – entre la mort corporelle, biologique, et « l'éloignement[64] » de l'âme qui peut être, d'après ceux qui accompagnent les mourants et la tradition catholique, de trois heures en moyenne (moment qui pourrait durer entre une demi-heure et sept heures, d'après des révélations privées de Marthe Robin, mystique du XXᵉ siècle). La personne est morte physiquement mais, quelque part, elle reste jusqu'à un moment donné, qui peut être perçu par ceux qui l'entourent, où l'âme passe définitivement dans l'autre monde : c'est la mort métaphysique.

---

64. D'après l'abbé Jean-Pascal PERRENX, docteur en médecine, théologien moraliste, auteur d'une *Théologie Morale Fondamentale* en 5 tomes chez Téqui, 2008.

Et Mgr Aupetit de souligner avec raison : *La frontière à laquelle se heurtent les acteurs des NDE avant de revenir « dans leur corps » est peut-être la limite réelle entre la vie et la mort et l'ultime passage où ceux qui sont inscrits dans le livre de vie seront semblables à Dieu car ils le verront tel qu'il est* (Ap 20, 11-13 ; 1 Jn 3, 2).

C'est avant ce moment-là qu'une EMI peut avoir lieu, passant éventuellement par une décorporation. Il s'agit donc bien d'une *réanimation* et non d'une *résurrection*. Nous allons en reparler dans les chapitres suivants.

Que ce soit l'occasion de rappeler combien ce moment de la mort est important : *un temps unique à vivre* ! L'Église demande de veiller les agonisants et de prier encore auprès de ceux qui viennent de mourir, car ce temps qui entoure la mort semble bien être un combat où s'affrontent dans l'âme du défunt les puissances du bien et du mal ; et loin de cesser à la mort clinique (et même biologique), ce combat se prolonge sûrement jusqu'au moment de la mort définitive, quand l'âme quitte le corps.

Moi, je suis la résurrection. Qui croit en moi, même s'il meurt, vivra ; et quiconque vit et croit en moi ne mourra jamais. Le crois-tu ? Jn 11, 25-26

Pour entrer dans le témoignage suivant, celui de **Gloria Polo**, il faut savoir que l'Église catholique retient trois « états » dans l'au-delà : *Chaque homme reçoit dans son âme immortelle sa rétribution éternelle dès sa mort en un jugement particulier qui réfère sa vie au Christ, soit à travers une purification (**Purgatoire**, qui nous fait correspondre à Dieu), soit pour entrer immédiatement dans la béatitude du **Ciel*** (les saints dont la vie terrestre a exprimé totalement l'amour qu'ils ont reçu de Dieu), *soit pour se damner immédiatement pour toujours*[65] (l'***Enfer*** : lieu de désolation définitive pour ceux qui rejettent Dieu librement et en connaissance de cause).

Nous sommes tous faits pour Dieu, nous sommes créés pour entrer dans une relation totalement pure avec Lui. Dieu donne à chaque âme assez de grâces pour qu'elle puisse aller tout droit au Ciel. Dans le temps de la terre nous sont données toutes les occasions pour être assez purs au moment de paraître devant Lui à notre mort. Les épreuves – que nous offrons – nous tiennent lieu de purgatoire. Mais, nous le savons bien, nous oublions trop souvent que nous avons une âme immortelle et nous occupons de bien d'autres choses… Nous retardons ainsi notre purification. Alors, dans son extrême miséricorde, le Seigneur nous accorde un temps supplémentaire, un délai, une nouvelle occasion de nous purifier, une sorte d'étape avant le Ciel, c'est le Purgatoire.

---

65. Cf. le *Catéchisme de l'Église Catholique* N°1022.

5ᵉ témoignage : « J'ai frôlé l'enfer ! »

Voici donc le témoignage complet du *Dr Gloria Polo*, chirurgien dentiste à Bogota (Colombie)[66], une personne ni pire ni meilleure qu'une autre mais qui raconte avoir frôlé l'enfer au cours d'une EMI, qui a transformé sa vision des choses !

Peut-on prendre ce témoignage à la lettre ? Comme tout témoignage, il a pu, au fil du temps, s'enjoliver ou se dégrader. Il n'en reste pas moins qu'il questionne et mérite d'être lu en entier.

Il faut savoir que de nombreux saints ont rapporté les visions de l'enfer qu'ils ont eues, toutes plus épouvantables les unes que les autres[67]. Sainte Thérèse d'Avila, par exemple, écrit : *Le Seigneur voulait me montrer la place que les démons m'avaient préparée (en enfer) et que j'avais méritée par mes péchés.* Elle parle de *ce lieu si infect d'où le moindre espoir de consolation est à jamais banni*[68].

---

66. Interview à Radio-Maria en Colombie. Site Internet : *Dra. Gloria Polo. Testimonio místico. Colombia.*
67. On sait que les voyants de Fatima ont eu une vision de l'enfer…
68. Vie de sainte Thérèse d'Avila, par elle-même, chap. 32.

Frères et sœurs, c'est merveilleux pour moi de partager avec vous en cet instant, l'ineffable grâce que m'a donnée Notre Seigneur, il y a maintenant plus de dix ans.

C'était à l'Université Nationale de Colombie à Bogota (en mai 1995). Avec mon neveu, dentiste comme moi, nous préparions une maîtrise. Ce vendredi après-midi, mon mari nous accompagnait car nous avions des livres à prendre à la Faculté. Il pleuvait abondamment et mon neveu et moi-même nous abritions sous un petit parapluie. Mon mari, vêtu d'un imperméable, approchait de la bibliothèque du Campus. Mon neveu et moi qui le suivions, nous sommes dirigés vers des arbres pour éviter des flaques d'eau. À ce moment-là, nous avons été tous les deux foudroyés. Mon neveu est mort sur le coup; il était jeune et en dépit de son jeune âge, il s'était déjà consacré à Notre Seigneur; il avait une grande dévotion à l'Enfant-Jésus. Il portait toujours sa sainte image dans un cristal de quartz sur sa poitrine. D'après l'autopsie, la foudre serait entrée par l'image; elle a carbonisé son cœur et est ressortie par ses pieds. Extérieurement, l'on n'apercevait aucune trace de brûlure. Pour ma part, mon corps a été calciné de façon horrible, tant à l'intérieur qu'à l'extérieur. Ce corps que vous voyez maintenant, reconstitué, l'est par la grâce de la miséricorde divine. La foudre m'avait carbonisée, je n'avais plus de poitrine et pratiquement toute ma chair et une partie de mes côtes avaient disparu. La foudre est sortie par mon pied droit après avoir brûlé presque entièrement mon estomac, mon foie, mes reins et mes poumons.

Je pratiquais la contraception et portais un stérilet intra-utérin en cuivre. Le cuivre étant un excellent conducteur d'électricité, carbonisa mes ovaires. Je me trouvais donc en arrêt cardiaque, sans vie, mon corps ayant des soubresauts à cause de l'électricité qu'il avait encore. Mais ceci ne concerne que la partie physique de moi-même car, alors que ma chair était brûlée, je me retrouvai à cet instant dans un très beau tunnel de lumière blanche, remplie de joie et de paix ; aucun mot ne peut décrire la grandeur de ce moment de bonheur. L'apothéose de l'instant était immense.

Je me sentais heureuse et remplie de joie, car je n'étais plus sujette à la loi de la pesanteur. À la fin du tunnel, je vis comme un soleil d'où émanait une lumière extraordinaire. Je la décrirai comme blanche pour vous en donner une certaine idée, mais en fait, aucune couleur sur terre n'est comparable à un tel éclat. J'y percevais la source de tout amour et de toute paix. Alors que je m'élevais, je réalisais que je venais de mourir. À cet instant-là j'ai pensé à mes enfants et je me suis dit : « Oh, mon Dieu, mes enfants, que vont-ils penser de moi ? La maman très active que j'ai été, n'a jamais eu de temps à leur consacrer ! » Il m'était possible de voir ma vie telle qu'elle avait été réellement, et cela m'a attristée. Je quittais la maison tous les jours pour transformer le monde et je n'avais même pas été capable de m'occuper de mes enfants.

À cet instant de vide que j'éprouvais à cause de mes enfants, je vis quelque chose de magnifique : mon corps ne faisait plus partie de l'espace et du temps. En un instant, il m'était possible d'embrasser du regard tout le monde : celui des vivants et celui des morts. J'ai pu étreindre mes grands-parents et mes parents défunts. J'ai pu serrer contre moi tout le monde, c'était un si beau moment ! Je compris alors combien j'avais été trompée en croyant à la réincarnation dont je m'étais fait l'avocate. J'avais l'habitude de « voir » partout mon grand-père et mon arrière-grand-père. Mais là, ils m'embrassaient et j'étais parmi eux. En un même instant, nous nous sommes étreints ainsi qu'avec tous les êtres que j'avais connus dans ma vie.

Durant ces moments si beaux hors de mon corps, j'avais perdu la notion du temps. Mon regard avait changé : (sur terre) je faisais la différence entre celui qui était obèse, celui qui était de couleur ou disgracieux car j'avais toujours des préjugés. Hors de mon corps, je considérais les êtres de l'intérieur. Comme c'est beau de voir les gens de l'intérieur ! Je pouvais connaître leurs pensées et leurs sentiments. Je les embrassais tous en un instant tout en continuant à m'élever toujours plus haut et pleine de joie. Je compris alors que j'allais profiter d'une vue magnifique, d'un lac d'une beauté extraordinaire. Mais à ce moment-là, j'entendis la voix de mon mari qui pleurait et m'appelait en sanglotant : « Gloria, je t'en prie, ne pars pas ! Gloria, reviens ! N'abandonne pas les enfants, Gloria. » Je l'ai donc regardé et non seulement je l'ai vu mais j'ai ressenti son profond chagrin. Et le Seigneur m'a permis de revenir bien que ce n'était pas mon souhait. J'éprouvais une si grande joie, tant de paix et de bonheur ! Et voilà que je descends désormais lentement vers mon corps où je gisais sans vie. Il reposait sur une civière, au centre médical du Campus. Je pouvais voir les médecins qui me faisaient des électrochocs et tentaient de me ranimer suite à l'arrêt cardiaque que j'avais fait. Nous sommes restés là pendant deux heures et demie. D'abord, ces docteurs ne pouvaient pas nous manipuler car nos corps étaient encore trop conducteurs d'électricité ; ensuite, lorsqu'ils le purent, ils s'efforcèrent de nous ramener à la vie.

Je me posai près de ma tête et je ressentis comme un choc qui m'entraîna violemment à l'intérieur de mon corps. Ce fut douloureux car cela faisait des étincelles de toutes parts. Je me vis intégrer quelque chose de si étroit. Mes chairs meurtries et brûlées me faisaient mal. Elles dégageaient de la fumée et de la vapeur. Mais la blessure la plus horrible venait de ma vanité. J'étais une femme du monde, un cadre, une intellectuelle, une étudiante esclave de son corps, de la beauté et de la mode. Je faisais de la gymnastique quatre heures par jour, pour avoir un corps svelte : massages, thérapies, régimes en tous genres, etc. C'était ma vie, une routine qui m'enchaînait au culte de la beauté du corps. Je me disais : « J'ai de beaux seins, autant les montrer. Il n'y a aucune raison de les cacher. » De même pour mes jambes, car je croyais que j'avais de belles jambes et une belle poitrine ! Mais en un instant, j'avais vu avec horreur que j'avais passé ma vie à prendre soin de mon corps. L'amour de mon corps avait été le centre de mon existence. Or, maintenant, je n'avais plus de corps, plus de poitrine, rien que d'horribles trous. Mon sein gauche en particulier avait disparu. Mais le pire, c'était mes jambes qui n'étaient que plaies béantes sans chair, complètement brûlées et calcinées. De là, l'on me transporta à l'hôpital où l'on me dirigea d'urgence au bloc opératoire et l'on commença à racler et nettoyer les brûlures.

Alors que j'étais sous anesthésie, voilà que je sors à nouveau de mon corps et que je vois ce que les chirurgiens sont en train de me faire. J'étais inquiète pour mes jambes. Tout à coup, je passai par un moment horrible : toute ma vie, je n'avais été qu'une catholique « au régime ». Ma relation avec le Seigneur ne tenait qu'à l'Eucharistie du Dimanche, pas plus de 25 minutes, là où l'homélie du prêtre était la plus brève, car je ne pouvais supporter davantage. Telle était ma relation avec le Seigneur. Tous les courants (de pensée) du monde m'avaient influencée telle une girouette.

Un jour, alors que j'étais déjà en Maîtrise dentaire, j'avais entendu un prêtre affirmer que l'enfer comme les démons, n'existait pas. Or c'était la seule chose qui me retenait encore dans la fréquentation de l'Église. En entendant une telle affirmation, je me suis dit que nous irions tous au Paradis, indépendamment de ce que nous sommes et je m'éloignais complètement du Seigneur. Mes conversations devinrent malsaines car je ne pouvais plus endiguer le péché. Je commençais à dire à tout le monde que le diable n'existait pas et que cela avait été une invention des prêtres, que c'était de la manipulation… Lorsque je sortais avec mes camarades de l'université, je leur disais que Dieu n'existait pas et que nous étions le produit de l'évolution. Mais à cet instant, là, dans la salle d'opération, j'étais vraiment terrifiée ! Je voyais des démons venir vers moi car j'étais leur salaire. Des murs du bloc opératoire, je vis surgir beaucoup de monde. Au premier abord, ils semblaient normaux, mais en fait, ils avaient des visages haineux, affreux. À ce moment-là, par une certaine perspicacité qui me fut donnée, je réalisais que j'appartenais à chacun d'entre eux. Je compris que le péché n'était pas gratuit et que le mensonge le plus infâme du démon, c'était de faire croire qu'il n'existait pas. Je les voyais tous venir me chercher. Imaginez ma frayeur ! Mon esprit intellectuel et scientifique ne m'était d'aucun secours. Je voulus regagner l'intérieur de mon corps, mais celui-ci ne me laissait pas entrer. Je courus alors vers l'extérieur de la pièce, espérant me cacher quelque part dans le couloir de l'hôpital mais en fait je finis par sauter dans le vide.

Je tombais dans un tunnel qui me tirait vers le bas. Au début, il y avait de la lumière et cela ressemblait à une ruche d'abeilles. Il y avait beaucoup de monde. Mais bientôt je commençais à descendre en passant par des tunnels complètement sombres. Il n'y a aucune commune mesure entre l'obscurité de cet endroit et l'obscurité la plus totale de la terre que l'on pourrait comparer à la lumière astrale. Cette obscurité-là suscitait la souffrance, l'horreur et la honte. L'odeur était infecte. Quand enfin j'eus fini de descendre le long de ces tunnels, j'atterris lamentablement sur une plateforme. Moi qui avais l'habitude de clamer que j'avais une volonté d'acier et que rien n'était de trop pour moi... là, ma volonté ne me servait de rien ; je ne parvenais pas à remonter. À un certain point, je vis au sol comme un gigantesque gouffre s'ouvrir et je vis un vide immense, un abîme sans fond. Le plus horrible concernant ce trou béant était que l'on y ressentait l'absence absolue de l'amour de Dieu et ce, sans le moindre espoir. Le trou m'aspira et j'étais terrifiée. Je savais que si j'allais là-dedans, mon âme en mourrait. J'étais tirée vers cette horreur, on m'avait saisie par les pieds. Mon corps entrait désormais dans ce trou et ce fut un moment d'extrême souffrance et d'épouvante. Mon athéisme me quitta et je commençais à crier vers les âmes du Purgatoire pour avoir de l'aide. Tandis que je hurlais, je ressentis une douleur très intense car il me fut donné de comprendre que des milliers et des milliers d'êtres humains se trouvaient là, surtout des jeunes. C'est avec terreur que j'entendais des grincements de dents, d'horribles cris et des gémissements qui m'ébranlèrent jusqu'au tréfonds de mon être. Il m'a fallu des années avant de m'en remettre car chaque fois que je me souvenais de ces instants, je pleurais en pensant à leurs indicibles souffrances. Je compris que c'est là où vont les âmes des suicidés qui, en un instant de désespoir, se retrouvent au milieu de ces horreurs. Mais le tourment le plus terrible, c'était l'absence de Dieu. On ne pouvait pas sentir Dieu.

Dans ces tourments-là, je me mis à crier : « Qui a pu commettre une erreur pareille ? Je suis presque une sainte : je n'ai jamais volé, je n'ai jamais tué, j'ai donné de la nourriture aux pauvres, j'ai pratiqué des soins dentaires gratuits à des nécessiteux ; qu'est-ce que je fais ici ? J'allais à la messe le dimanche… je n'ai pas manqué la messe du dimanche plus de cinq fois dans ma vie ! Alors pourquoi suis-je ici ? Je suis catholique, je vous en prie, je suis catholique, sortez-moi d'ici ! » Tandis que je criais que j'étais catholique, j'aperçus une faible lueur. Et je peux vous assurer qu'en cet endroit, la moindre lueur est le plus beau des cadeaux. Je vis des marches au-dessus du trou et je reconnus mon père, décédé cinq ans auparavant. Toute proche et quatre marches plus haut, se tenait ma mère en prière, baignée par davantage de lumière.

Les apercevoir, me remplit de joie et je leur dis : « Papa, maman, sortez-moi de là ! Je vous en supplie, sortez-moi de là ! » Quand ils se penchèrent vers ce trou, vous auriez dû voir leur immense chagrin. À cet endroit-là, vous pouvez percevoir les sentiments des autres et éprouver leur peine. Mon père se mit à pleurer en tenant la tête dans ses mains : « Ma fille, ma fille ! » disait-il. Maman priait et je compris qu'ils ne pouvaient me sortir de là ; ma peine s'accrut de la leur puisqu'ils partageaient la mienne. Aussi, je me mis à crier à nouveau : « Je vous en supplie, sortez-moi d'ici ! Je suis catholique ! Qui a pu commettre une telle erreur ? Je vous en supplie, sortez-moi de là ! » Cette fois, une voix se fit entendre, une voix douce qui fit trembler mon âme. Tout fut alors inondé d'amour et de paix et toutes ces sombres créatures qui m'entouraient, s'échappèrent car elles ne peuvent faire face à l'Amour. Cette voix précieuse me dit : « Très bien, puisque tu es catholique, dis-moi quels sont les commandements de Dieu. »

En voilà un coup manqué de ma part ! Je savais qu'il y avait dix commandements, un point c'est tout. Que faire ? Maman me parlait toujours du premier commandement d'amour. Je n'avais qu'à répéter ce qu'elle me disait. Je pensais pouvoir improviser et masquer ainsi mon ignorance des autres (commandements). Je croyais pouvoir m'en tirer, comme sur terre où je trouvais toujours une bonne excuse ; et je me justifiais en me défendant pour masquer mon ignorance. Je dis : « Tu aimeras le Seigneur ton Dieu par-dessus tout et ton prochain comme toi-même. » J'entendis alors : « Très bien, les as-tu aimés ? » Je répondis : « Oui, je les ai aimés, je les ai aimés, je les ai aimés ! » Et il me fut répondu : « Non. Tu n'as pas aimé le Seigneur ton Dieu par-dessus tout et encore moins ton prochain comme toi-même. Tu t'es créé un dieu que tu ajustais à ta vie et tu t'en servais seulement en cas de besoin désespéré. Tu te prosternais devant lui lorsque tu étais pauvre, quand ta famille était humble et que tu voulais aller à l'université. À ces moments-là, tu priais souvent et tu t'agenouillais pendant de longues heures pour supplier ton dieu de te sortir de la misère ; pour qu'il t'accorde le diplôme qui te permettrait de devenir quelqu'un. Chaque fois que tu avais besoin d'argent, tu récitais le chapelet. Voilà quelle était ta relation avec le Seigneur. »

Oui, je dois reconnaître que je prenais le chapelet et j'attendais de l'argent en retour, telle était ma relation avec le Seigneur. Il me fut donné de voir qu'aussitôt le diplôme en poche et la notoriété obtenue, je n'ai pas eu le moindre sentiment d'amour envers le Seigneur. Être reconnaissante : non, jamais ! Lorsque j'ouvrais les yeux le matin, je n'avais jamais un merci pour le jour nouveau que le Seigneur me donnait à vivre, je ne le remerciais jamais pour ma santé, pour la vie de mes enfants, pour le toit qu'il m'avait donné. C'était l'ingratitude la plus totale. Je n'avais pas de compassion pour les nécessiteux ! En fait, tu plaçais le Seigneur si bas que tu avais plus de confiance dans les augures de Mercure et Vénus. Tu étais aveuglée par l'astrologie, clamant que les étoiles dirigeaient ta vie ! Tu vagabondais vers toutes les doctrines du monde. Tu croyais que tu allais mourir pour renaître encore ! Et tu as oublié la miséricorde. Tu as oublié que tu as été rachetée par le Sang de Dieu ! On me mit à l'épreuve avec les dix commandements. On me montra que je prétendais aimer Dieu avec mes mots mais qu'en réalité, c'était Satan que j'aimais. Ainsi, un jour, une femme était entrée dans mon cabinet dentaire pour m'offrir ses services de magie et je lui avais dit : « Je n'y crois pas, mais laissez ces porte-bonheur ici au cas où ça marcherait. » J'avais remisé dans un coin un fer à cheval et un cactus, censés éloigner les mauvaises énergies.

Comme tout cela était honteux! Ce fut un examen de ma vie à partir des dix commandements. Il me fut montré quel avait été mon comportement vis-à-vis de mon prochain. On me fit voir comment je prétendais aimer Dieu alors même que j'avais l'habitude de critiquer tout le monde, de pointer mon doigt sur chacun, moi la très sainte Gloria! On me montra aussi combien j'étais envieuse et ingrate! Je n'avais jamais éprouvé de reconnaissance envers mes parents qui m'avaient donné leur amour et avaient fait tant de sacrifices pour m'éduquer et m'envoyer à l'université. Dès l'obtention de mon diplôme, eux aussi devinrent inférieurs à moi ; j'avais même honte de ma mère en raison de sa pauvreté, de sa simplicité et de son humilité.

En ce qui concerne mon comportement en tant qu'épouse, il me fut montré que je me plaignais tout le temps, du matin au soir. Si mon mari disait « bonjour », je répliquais : « Pourquoi ce jour serait-il bon alors qu'il pleut dehors? » Je me plaignais aussi continuellement de mes enfants. Il me fut montré que je n'avais jamais aimé ni eu de compassion pour mes frères et sœurs de la terre. Et le Seigneur me dit : « Tu n'as jamais eu de considération pour les malades ; dans leur solitude, tu ne leur as jamais tenu compagnie. Tu n'as pas eu compassion des enfants orphelins, de tous ces enfants malheureux. » J'avais un cœur de pierre dans une coquille de noix. Sur cette épreuve des dix commandements, je n'avais pas une demi-réponse correcte.

C'était terrible, dévastateur ! J'étais totalement bouleversée. Et je me disais : Au moins on ne pourra pas me
blâmer d'avoir tué quelqu'un !

Par exemple, j'achetais des provisions pour les nécessiteux ; ce n'était pas par amour, mais plutôt pour paraître
généreuse, et pour le plaisir que j'avais à manipuler ceux
qui étaient dans le besoin. Je leur disais : « Prenez ces
provisions et allez à ma place à la réunion des parents et
des professeurs parce que je n'ai pas le temps d'y assister. »
En outre, j'aimais être entourée de personnes qui m'encen-
saient. Je m'étais fait une certaine image de moi-même.

Ton dieu c'était l'argent, m'a-t-on dit. Tu as été
condamnée à cause de l'argent : c'est pour cette raison que
tu as sombré dans l'abîme et que tu t'es éloignée de ton
Seigneur. Nous avions été effectivement riches, mais à la
fin nous étions devenus insolvables, sans le sou et criblés
de dettes. Pour toute réponse, je criais : « Quel argent ? Sur
terre, nous avons laissé beaucoup de dettes ! »

Lorsqu'on en vint au second commandement, je vis avec
tristesse que dans mon enfance, j'avais vite compris que
le mensonge était un excellent moyen d'éviter les sévères
punitions de Maman. Je commençais main dans la main
avec le père du mensonge (Satan) et je devins menteuse.
Mes péchés augmentaient comme mes mensonges. J'avais
remarqué combien Maman respectait le Seigneur et Son
Nom Très Saint ; je vis là une arme pour moi et je me mis
à blasphémer par Son Nom. Je disais : "Maman, je jure sur

131

Dieu que…" Et ainsi, j'évitais les punitions. Imaginez mes mensonges, impliquant le Nom Très Saint du Seigneur…

Et remarquez, frères et sœurs que les paroles ne sont jamais vaines car lorsque ma mère ne me croyait pas, j'avais pris l'habitude de lui dire : « Maman, si je mens, que l'éclair me frappe ici et maintenant. » Si les mots se sont envolés avec le temps, il se trouve que la foudre m'a bel et bien frappée ; elle m'a carbonisée et c'est grâce à la Miséricorde Divine que je suis ici maintenant.

Il me fut montré comment, moi qui me disais catholique, je ne respectais aucune de mes promesses et combien j'utilisais futilement le nom de Dieu.

Je fus surprise de voir qu'en la présence du Seigneur, toutes ces horribles créatures qui m'entouraient, se prosternaient en adoration. Je vis la Vierge Marie aux pieds du Seigneur qui priait et intercédait pour moi.

En ce qui concerne le respect du Jour du Seigneur, j'étais pitoyable et j'en éprouvais une douleur intense. La voix me disait que le dimanche, je passais quatre ou cinq heures à m'occuper de mon corps ; je n'avais pas même dix minutes d'action de grâce ou de prières à consacrer au Seigneur. Si je commençais un chapelet, je me disais : « Je peux le faire pendant la publicité, avant le feuilleton. » Mon ingratitude vis-à-vis du Seigneur me fut reprochée. Lorsque je ne voulais pas assister à la messe, je disais à maman : « Dieu est partout, pourquoi devrais-je y aller ? »… La voix me rappela également que Dieu veillait sur moi nuit et jour et qu'en retour, moi je ne le priais pas du tout ; et le dimanche, je ne le remerciais pas et je ne lui manifestais pas ma gratitude ou mon amour. Par contre, je prenais soin de mon corps, j'en étais esclave et j'oubliais totalement que j'avais une âme et que je devais l'alimenter. Mais jamais je ne la nourrissais de la Parole de Dieu, car je disais que celui qui lit la Parole de Dieu, devient fou.

En ce qui concerne les Sacrements, j'avais tout faux. Je disais que je n'irai jamais me confesser car ces vieux messieurs étaient pires que moi. Le diable me détournait de la confession et c'est ainsi qu'il empêchait mon âme d'être propre et de guérir. La blanche pureté de mon âme en payait le prix chaque fois que je péchais. Satan y laissait sa marque : une marque obscure. Excepté pour ma première communion, je n'ai jamais fait une bonne confession. À partir de là, je n'ai jamais reçu Notre Seigneur dignement. Le manque de cohérence de ma vie avait atteint un tel degré que je blasphémais : « La Sainte Eucharistie ? Peut-on imaginer Dieu vivant dans un morceau de pain ? » Voilà à quoi en était réduite ma relation avec Dieu. Je n'ai jamais nourri mon âme et pis encore, je critiquais les prêtres constamment. Vous auriez dû voir combien je m'y appliquais ! Depuis ma plus tendre enfance, mon père avait l'habitude de dire que ces gens-là étaient encore plus coureurs que les laïcs. Et le Seigneur me dit : « Qui es-tu pour juger ainsi mes oints. Ce sont des hommes et la sainteté d'un prêtre est soutenue par sa communauté qui prie pour lui, qui l'aime et le seconde. Lorsqu'un prêtre commet une faute, c'est sa communauté qui en est redevable, mais pas lui. » À un certain moment de ma vie, j'ai accusé un prêtre d'homosexualité et la communauté en fut informée. Vous ne pouvez imaginer le mal que j'ai fait !

Pour ce qui est du 4e commandement, "Tu honoreras ton père et ta mère" comme je vous l'ai dit, le Seigneur me fit voir mon ingratitude vis-à-vis de mes parents. Je me plaignais car ils ne pouvaient m'offrir bien des choses dont disposaient mes camarades. J'ai été ingrate envers eux pour tout ce qu'ils ont fait pour moi et j'en étais même arrivée au point où je disais que je ne connaissais pas ma mère parce qu'elle n'était pas à mon niveau. Le Seigneur me montra combien j'aurais pourtant pu observer ce commandement. En effet j'avais payé les factures du médecin et du pharmacien lorsque mes parents étaient tombés malades, mais comme j'analysais tout en fonction de l'argent, j'en profitais alors pour les manipuler et j'en étais arrivée à les écraser.

J'eus mal de voir mon père pleurer tristement car bien qu'il fut un bon père qui m'avait appris à travailler durement et à entreprendre, il avait oublié un détail important : que j'avais une âme et que par son mauvais exemple, ma vie avait commencé à basculer. Il fumait, buvait et courait les femmes à tel point qu'un jour je suggérai à maman de quitter son mari : « Tu ne devrais pas continuer plus longtemps avec un homme comme celui-là. Sois digne, fais-lui voir que tu vaux quelque chose. » Et Maman de répondre : « Non ma chérie, j'ai mal mais je me sacrifie car j'ai sept enfants et parce qu'en fin de journée, ton papa montre qu'il est un bon père ; je ne pourrais pas m'en aller et vous séparer de votre père ; de plus, si je partais, qui prierait pour son salut ? Je suis la seule à pouvoir le faire car toutes ces peines et blessures qu'il m'inflige, je les unis aux souffrances du Christ sur la Croix. Chaque jour je dis au Seigneur : Ma douleur n'est rien en comparaison de votre Croix, aussi, je vous en prie, sauvez mon mari et mes enfants. » Pour ma part, je ne parvenais pas à comprendre cela et je devins rebelle, je commençais à prendre la défense des femmes, à encourager l'avortement, la cohabitation et le divorce.

Quand l'on en vint au 5ᵉ commandement, le Seigneur me fit voir l'assassin horrible que j'avais été en commettant le plus horrible des crimes : l'avortement. De plus, j'avais financé plusieurs avortements parce que je proclamais qu'une femme avait le droit de choisir d'être enceinte ou pas. Il me fut donné de lire dans le Livre de Vie et je fus profondément meurtrie, car une fillette de 14 ans avait avorté sur mes conseils. J'avais également prodigué de mauvais conseils à des fillettes dont trois d'entre elles étaient mes nièces, en leur parlant de la séduction, de la mode, en leur conseillant de profiter de leur corps, et en leur disant qu'elles devaient utiliser la contraception. C'était une sorte de corruption de mineures qui aggravait l'horrible péché de l'avortement.

Chaque fois que le sang d'un bébé est versé, c'est un holocauste à Satan, qui blesse et fait trembler le Seigneur. Je vis dans le Livre de Vie, comment notre âme se formait, le moment où la semence parvient dans l'œuf. Une belle étincelle jaillit, une lumière qui rayonne du soleil de Dieu le Père. Dès que le ventre de la mère est ensemencé, il s'éclaire de la lumière de l'âme. Pendant l'avortement, l'âme gémit et crie de douleurs, et l'on entend un cri au Ciel car il est ébranlé. Ce cri résonne également en enfer, mais c'est un cri de joie! Combien de bébés sont tués chaque jour! C'est une victoire pour l'Enfer. Le prix de ce sang innocent libère chaque fois un démon de plus. Moi, j'ai trempé dans ce sang et mon âme devint totalement enténébrée. À la suite de ces avortements, j'avais perdu la conscience du péché. Pour moi, tout était O.K. Et que dire de tous ces bébés à qui j'avais refusé la vie à cause du stérilet que j'utilisais! Il n'est pas étonnant que j'aie toujours été amère, frustrée, dépressive. Et je sombrais encore plus dans l'abîme. Comment pouvais-je affirmer que je n'avais jamais tué!

Et toutes les personnes que j'ai méprisées, haïes, que je n'ai pas aimées! Là aussi j'ai été une tueuse parce qu'on ne meurt pas seulement d'une balle de revolver. On peut également tuer en haïssant, en commettant des actes de méchanceté, en enviant et en jalousant.

En ce qui concerne le 6e commandement, mon mari fut le seul homme de ma vie. Mais l'on me donna de voir qu'à chaque fois que je dévoilais ma poitrine et que je portais des pantalons-léopards, j'incitais les hommes à l'impureté et je les conduisais au péché. De plus, je conseillais aux femmes trompées d'être infidèles à leur mari, je prêchais contre le pardon et j'encourageais le divorce. Je réalisais alors que les péchés de la chair sont affreux et condamnables même si le monde actuel trouve acceptable que l'on se conduise comme des animaux.

Il était particulièrement douloureux de voir combien les péchés d'adultère de mon père avaient blessé ses enfants. Mes trois frères devinrent des copies conformes de leur père, coureurs et buveurs, inconscients du tort qu'ils faisaient à leurs enfants. Voilà pourquoi mon père pleurait avec tant de chagrin en constatant que le mauvais exemple qu'il avait donné s'était répercuté sur tous ses enfants.

Quant au 7ᵉ commandement – ne pas voler –, moi qui me jugeais honnête, le Seigneur me fit voir que la nourriture était gaspillée dans ma maison pendant que le reste du monde souffrait de la faim. Il me dit : « J'avais faim et regarde ce que tu as fait avec ce que je t'ai donné ; comme tu as gaspillé ! J'avais froid et vois comment tu étais esclave de la mode et des apparences, jetant tant d'argent dans des régimes pour maigrir. De ton corps, tu en as fait un dieu ! » Il me fit comprendre que j'avais ma part de culpabilité dans la pauvreté de mon pays. Il me montra aussi que chaque fois que je critiquais quelqu'un, je lui volais son honneur. Il aurait été plus facile pour moi de voler de l'argent, car l'argent, on peut toujours le restituer, mais la réputation !... De plus je dérobais à mes enfants la grâce d'avoir une maman tendre et pleine d'amour. J'abandonnais mes enfants pour aller dans le monde, je les laissais devant la télévision, l'ordinateur et les jeux vidéo ; et pour me donner bonne conscience, je leur achetais des vêtements de marque. Comme c'est horrible! Quel chagrin immense!

Dans le Livre de Vie, l'on voit tout comme dans un film. Mes enfants disaient: « Espérons que Maman ne rentre pas trop tôt et qu'il y aura des embouteillages car elle est agaçante et râleuse. » En fait, je leur avais volé leur mère, je leur avais volé la paix que j'étais censée apporter à mon foyer. Je ne leur avais pas enseigné l'amour de Dieu ni l'amour du prochain. C'est simple: si je n'aime pas mes frères, je n'ai rien à voir avec le Seigneur; si je n'ai pas de compassion, je n'ai rien à voir avec Lui non plus.

Maintenant je parlerai des faux témoignages et du mensonge car j'étais devenue une experte en la matière. Il n'y a pas de mensonges innocents, tous viennent de Satan qui est leur père. Les fautes que j'ai commises par la langue étaient vraiment épouvantables. J'ai vu combien j'avais blessé par ma langue. Chaque fois que je cancanais, que je me moquais de quelqu'un ou lui attribuais un surnom dévalorisant, je blessais cette personne. Comme un surnom peut blesser! Je pouvais complexer une femme en l'appelant: « la grosse »…

Au cours de ce jugement sur les dix commandements, l'on me montra que toutes mes fautes avaient pour cause la convoitise, ce mauvais désir. Je me suis toujours vue heureuse avec beaucoup d'argent. Et l'argent devint une obsession. C'est vraiment triste, car pour mon âme les moments les plus terribles avaient été ceux où j'avais disposé de beaucoup d'argent. J'avais même pensé au suicide. J'avais tant d'argent et je me trouvais seule, vide, amère et frustrée. Cette obsession de l'argent me détourna du Seigneur et fit que je m'échappais de ses mains.

Après l'examen des dix commandements, le Livre de Vie me fut montré. Je voudrais avoir les mots adéquats pour le décrire. Mon Livre de Vie commença lorsque les cellules de mes parents s'unirent. Presque immédiatement, il y eut une étincelle, une magnifique explosion et une âme était ainsi formée, la mienne, créée par les mains de Dieu, notre Père, un Dieu si bon ! C'est vraiment merveilleux ! Il veille sur nous 24 heures sur 24. Son amour était mon châtiment car il ne regardait pas mon corps charnel mais mon âme et il voyait combien je m'éloignais du salut.

Je voudrais aussi vous dire à quel point j'étais hypocrite ! Je disais à une amie : « Tu es ravissante dans cette robe, elle te va si bien ! » Mais je pensais en moi-même : ce vêtement est grotesque, et elle se prend pour une reine ! Dans le Livre de Vie, tout apparaît exactement tel qu'il a été pensé, l'on voit aussi l'environnement intérieur de l'âme. Tous mes mensonges étaient exposés et chacun pouvait les voir.

Je faisais souvent l'école buissonnière, car maman ne me permettait pas d'aller là où moi je voulais. Par exemple, je lui mentais au sujet d'un travail de recherche que je devais faire à la bibliothèque de l'université et en fait, j'allais voir au même moment un film porno ou boire une bière dans un bar avec des amis. Quand je pense que Maman a vu défiler ma vie et que rien ne lui a échappé !

Le Livre de Vie est vraiment très beau. Ma mère avait l'habitude de glisser dans mon panier des bananes pour mon déjeuner, de la pâte de *guava* ainsi que du lait car, dans mon enfance, nous étions très pauvres. Il m'arrivait de manger les bananes et de jeter les peaux par terre sans me soucier que l'on pouvait glisser dessus et se blesser. Le Seigneur me montra comment une personne glissa sur l'une de mes peaux de bananes ; j'aurais pu la tuer par mon manque de compassion.

La seule fois de ma vie que je fis une vraie confession avec regret et repentance, fut lorsqu'une femme me rendit 4 500 pesos de trop dans une épicerie de Bogota. Mon père nous avait appris l'honnêteté. En allant au travail, tandis que je conduisais, je me rendis compte de l'erreur. « Cette idiote m'a donné 4 500 pesos de trop et maintenant je dois retourner à son magasin », me dis-je. Il y avait un embouteillage énorme et je décidai de ne pas faire demi-tour. Mais la blessure demeura en moi et j'allai me confesser le dimanche suivant en m'accusant d'avoir volé ces 4 500 pesos faute de les avoir restitués. Je n'ai pas prêté attention aux paroles du confesseur. Mais savez-vous ce que le Seigneur me dit ? « Tu n'as pas compensé ce manque de charité. Pour toi, ce n'était que de l'argent de poche, mais pour cette femme qui ne gagnait que le minimum, cette somme représentait l'équivalent de trois jours de nourriture. » Le Seigneur me montra combien elle en souffrit, se privant durant plusieurs jours ainsi que ses deux petits qui eurent faim.

Ensuite le Seigneur me posa la question suivante : « Quels trésors spirituels apportes-tu ? » Des trésors spirituels ? Mes mains sont vides ! « À quoi cela te sert-il, ajouta-t-il, de posséder deux appartements, des maisons et des bureaux si tu ne peux même pas m'en apporter ne serait-ce qu'un peu de poussière ? Et tu croyais que tu avais réussi ? Qu'as-tu donc fait des talents que je t'ai donnés ? Tu avais une mission : cette mission, c'était de défendre le Royaume de l'Amour, le Royaume de Dieu. » Oui, j'avais oublié que j'avais une âme ; aussi comment pouvais-je me souvenir que j'avais des talents ; tout ce bien que je n'ai pas su faire a blessé le Seigneur.

Le Seigneur me parla encore du manque d'amour et de compassion. Il me parla également de ma mort spirituelle. Sur terre, j'étais vivante, mais en réalité j'étais morte. Si vous pouviez voir ce qu'est la mort spirituelle ! C'est comme une âme haineuse, une âme terriblement amère et dégoûtée de tout, remplie de péchés et qui blesse tout le monde. Je voyais mon âme qui, extérieurement, était bien habillée et sentait bon ; mais intérieurement c'était une vraie puanteur et mon âme habitait les profondeurs de l'abîme. Ce n'est pas étonnant si j'étais aigrie et dépressive. Et le Seigneur me dit : « Ta mort spirituelle a commencé lorsque tu as cessé d'être sensible à ton prochain. Je t'avertissais en te montrant leur détresse. Lorsque tu voyais des reportages, des meurtres, des enlèvements, la situation des réfugiés, tu disais : "Pauvres gens, comme c'est triste". Mais en réalité, tu n'avais pas mal pour eux, tu ne ressentais rien dans ton cœur. Le péché a changé ton cœur en pierre. »

Vous ne pouvez imaginer l'immensité de mon chagrin lorsque mon Livre de Vie se referma. J'avais de la peine pour Dieu, mon Père, de m'être comportée de la sorte car, en dépit de tous mes péchés, de ma saleté, de toutes mes indifférences et de mes sentiments horribles, le Seigneur a cherché à m'atteindre jusqu'au bout. Il m'a envoyé des personnes qui ont eu une bonne influence sur moi. Il m'a protégée jusqu'à la fin. Dieu mendie notre conversion !

Bien entendu, je ne pouvais pas le blâmer de me condamner. De mon propre gré, j'ai choisi mon père, Satan, au lieu de Dieu. Lorsque le Livre de Vie se referma, je remarquai que je me dirigeai vers un puits au fond duquel il y avait une trappe. Tandis que je descendais là-dedans, je commençais à appeler tous les Saints du Ciel pour me sauver. Vous n'avez pas idée de tous les noms de Saints qui me revinrent à l'esprit, moi qui étais une mauvaise catholique ! J'appelais saint Isidore ou saint François d'Assise et lorsque ma liste s'épuisa, le silence s'installa. J'éprouvais alors un grand vide et une peine profonde.

Je pensais que tout le monde sur terre croyait que j'étais morte en odeur de sainteté, peut-être s'attendaient-ils même à demander mon intercession ! Et regardez où j'atterrissais ! Je levais les yeux et mon regard croisa celui de ma mère. Avec une intense douleur, je criais vers elle : « Maman, comme j'ai honte ! J'ai été condamnée, maman. Là où je vais, je ne te reverrai plus jamais ! » À ce moment, une grâce magnifique lui fut accordée. Elle se tenait sans bouger mais ses doigts se mirent à pointer vers le haut. Deux écailles se détachèrent douloureusement de mes yeux : l'aveuglement spirituel. Je revis alors en un instant ma vie passée, lorsqu'un de mes patients me dit une fois : « Docteur, vous êtes très matérialiste, et un jour vous aurez besoin de ceci : en cas de danger imminent, demandez à Jésus-Christ de vous couvrir de son sang, parce que jamais Il ne vous abandonnera. Il a payé le prix du Sang pour vous. »

Avec une honte immense, je me mis à sangloter : « Seigneur Jésus, ayez pitié de moi ! Pardonnez-moi, donnez-moi une seconde chance ! »

Et le plus beau moment de ma vie se présenta alors à moi, il n'y a pas de mots pour le décrire. Jésus vint et me tira du puits. Il me souleva et toutes ces horribles créatures s'aplatirent au sol. Quand il me déposa, il me dit avec tout son amour : « Tu vas retourner sur terre, je te donne une seconde chance. » Mais il précisa que ce n'était pas à cause des prières de ma famille. « Il est juste de leur part d'implorer pour toi. C'est grâce à l'intercession de tous ceux qui te sont étrangers et qui ont pleuré, prié et élevé leur cœur avec un profond amour pour toi. »

Et je vis beaucoup de petites lumières s'allumer, telles des petites flammes d'amour. Je vis des personnes qui priaient pour moi. Mais il y avait une flamme beaucoup plus grande, c'était celle qui me donnait le plus de lumière et de laquelle jaillissait le plus d'amour. J'essayais de distinguer qui était cette personne. Le Seigneur me dit : « Celui qui t'aime tant, ne te connaît même pas. » Il m'expliqua que cet homme avait lu une coupure de presse de la veille. C'était un pauvre paysan qui habitait au pied de la Sierra Nevada de Santa Marta (au nord-est de la Colombie). Ce pauvre homme était allé en ville acheter du sucre de canne. Le sucre avait été emballé dans du papier journal et il avait vu ma photo, toute brûlée que j'étais. Lorsque l'homme me vit ainsi, sans même avoir lu l'article en entier, il tomba à genoux et commença à sangloter avec un profond amour. Il dit : « Seigneur Dieu, ayez pitié de ma petite sœur. Seigneur, sauvez-la. Si vous la sauvez, je vous promets que j'irai en pèlerinage au Sanctuaire de Buga (qui se trouve dans le sud-ouest de la Colombie). Mais je vous en prie, sauvez-la. »

Imaginez ce pauvre homme, il ne se plaignait pas d'avoir faim et il avait une grande capacité d'amour car il s'offrait de traverser toute une région pour quelqu'un qu'il ne connaissait même pas ! Et le Seigneur me dit : « C'est cela aimer son prochain. » Et il ajouta : « Tu vas repartir (sur terre) et tu donneras ton témoignage non pas mille fois, mais mille fois mille fois. Et malheur à ceux qui ne changeront pas après avoir entendu ton témoignage, car ils seront jugés plus sévèrement, comme toi lorsque tu reviendras ici un jour ; de même pour mes oints, les prêtres, car il n'y a pas pire sourd que celui qui refuse d'entendre ! »

Ce témoignage, mes frères et sœurs, n'est pas une menace. Le Seigneur n'a pas besoin de nous menacer.

C'est une chance qui se présente à vous, et Dieu merci, j'ai vécu ce qu'il m'a fallu vivre ! Lorsque chacun d'entre vous mourra et que son Livre de Vie s'ouvrira devant lui, vous verrez tout cela comme moi je l'ai vu. Et nous nous verrons tous comme nous sommes, la seule différence c'est que nous ressentirons nos pensées en la présence de Dieu ; le plus beau c'est que le Seigneur sera face à chacun de nous, mendiant toujours notre conversion afin que nous devenions une nouvelle créature avec Lui, car, sans Lui, nous ne pouvons rien faire.

Que le Seigneur vous bénisse tous abondamment.

Gloire à Dieu !

Gloire à Notre Seigneur Jésus-Christ !

La mort spirituelle, c'est la perte de l'état de grâce...

Gloria Polo[69]

---

69. J'ai trouvé loyal de retranscrire ce témoignage en entier – comme le 7ème témoignage qui suivra d'ailleurs – tel que je l'ai reçu, même s'il dérange parfois...
Je retiens avant tout la miséricorde du Seigneur qui met Gloria devant ses responsabilités, sans la juger (c'est elle qui se juge elle-même !) et en lui offrant une seconde chance. Cette voie n'est-elle pas ouverte à tout pécheur qui se repent ?

Trois citations

« Nul ne se donne à soi-même sa vie, c'est toujours à partir de la vie que s'engendre la vie, même lorsque la vie particulière d'un embryon est procurée par une manipulation *in vitro*. La vie ne vient jamais de nulle part, que l'on naisse d'un acte d'amour, ce qui est le plus humain, ou que l'on naisse d'une éprouvette, c'est d'une vie déjà existante que la vie, notre vie, surgit. La vie se révèle toujours dans un vivant qui en est le support, l'expression. Puisque la vie s'engendre elle-même dans un vivant dans lequel elle s'exprime, et que pas un de ces vivants ne se donne la vie à lui-même, on peut en conclure, en remontant à l'origine de la vie, qu'il y a nécessairement "la Vie capable de s'engendrer elle-même, celle que le christianisme appelle Dieu"[70].

C'est ainsi qu'en christianisme, la Vie auto-engendrée est le Père, et le Vivant éternellement engendré qui exprime la Vie est le Verbe ou encore le Fils[71]. »

Michel Aupetit

70. Henry M. *C'est moi la vérité*, Seuil, 1996.
71. Michel Aupetit, *L'embryon, quels enjeux ?*, Salvator, 2008.

« Les grandes vérités des religions traditionnelles s'en trouvent renforcées. Oui la vie continue immédiatement après la mort, sans aucune interruption. Oui, il y a un monde meilleur pour ceux qui auront su donner de l'amour autour d'eux. Oui encore, ceux qui n'auront mené qu'une vie d'égoïsme forcené devront d'abord accepter d'entrer dans la voie d'une lente transformation, souvent douloureuse, pour apprendre à aimer. Mais, finalement, nous sommes tous attendus, soutenus et aidés par l'Amour qui est à l'origine de notre existence même et c'est là sans doute la plus grande découverte de tous ceux qui ont vécu de telles expériences : l'Amour infini de Dieu. »

François Brune

« Oui, je pense comme vous que cela donne une autre perspective à l'existence. L'impression surgit que la vie n'est peut-être pas aussi arbitraire ou absurde que beaucoup de penseurs postmodernes l'affirment. Dans ce sens, j'estime que l'expérience de mort imminente est presque subversive car elle donne naissance à une palette de valeurs entièrement différentes de celles qui dominent dans nos civilisations matérialistes actuelles. Elle est subversive en ce qu'elle contredit la pensée séculaire postmoderne. »

Kenneth Ring

Approche anthropologique

Car le spirituel est lui-même charnel.

Charles Péguy

Pour interpréter fondamentalement ce qui se passe dans une EMI, une anthropologie réaliste est nécessaire. En tout état de cause, *l'existence des EMI est impensable si on n'accepte pas la réalité de l'âme* (que les scientifiques préfèrent appeler « conscience », terme très général et mal défini) et son articulation avec l'être.

De nos jours, l'âme est plutôt vue comme une invention des religions. Elle n'est en général plus envisagée que comme un *psychisme*. Majoritairement on considère l'individu comme une entité psychosomatique : un corps et un psychisme. Depuis 150 ans, avec les débuts de la psychologie et de la psychanalyse, la découverte de l'inconscient et tous les progrès des sciences humaines, la science s'est appuyée sur ce dualisme erroné.

En fait, nous allons voir que l'Homme est corps et âme, celle-ci ayant une dimension spirituelle, que l'Écriture appelle le *cœur* ou le « cœur-esprit », (le cœur et l'esprit étant considérés comme deux réalités équivalentes ou proches l'une de l'autre[72]), au centre de l'âme.

Approche philosophique

De façon rationnelle, on peut aboutir à cette *conception de l'être humain* à partir d'un certain nombre d'assertions :

1) Notre corps change continuellement

Déjà, extérieurement, on n'est pas le même à 1 an et à 70 ans... Ce qui reste le plus constant c'est le visage, qui exprime le mieux l'intériorité de la personne. Biologiquement, tout au long de notre existence, 500 000 cellules meurent et se renouvellent chaque seconde. Chaque jour, environ 50 milliards de cellules sont remplacées dans notre corps. Chaque année, environ 98 % des molécules et atomes de notre corps sont remplacés. Ce qui revient à avoir un « nouveau » corps tous les ans de notre existence terrestre.

Donc, finalement, notre corps, seule partie visible de notre être, est en perpétuelle transformation. Il se trouve continuellement en équilibre instable entre deux processus opposés de désintégration et d'intégration permanente[73],

---

72. « Je vous donnerai un cœur nouveau, je mettrai en vous un esprit nouveau, j'ôterai de votre chair le cœur de pierre et je vous donnerai un cœur de chair » (Ezéchiel 36, 26).
73. Néguentropie et entropie.

jusqu'à ce qu'il se décompose à la mort. Personne ne réalise ce changement constant...

2) Un corps n'existe pas sans âme

Si je suis en effet toujours le même, aujourd'hui comme hier, comme il y a 5, 10 ou 70 ans, qu'est-ce qui me donne cette conscience d'être toujours et partout moi-même? D'où vient la continuité de ce corps perpétuellement changeant? Qu'est-ce qui maintient l'unité et la continuité de mon corps?

Il faut bien « quelque chose »!

Ce « quelque chose », cette entité, qui est substance, qui informe une matière multiple pour constituer un corps vivant et organisé, on l'a appelé « âme » depuis Aristote[74], traduction française du latin *anima*. Quel que soit le nom qu'on lui donne, l'âme est un fait d'expérience. Elle n'est pas facultative, elle n'est pas une vue de l'esprit, elle n'est pas une invention... Mais, étonnamment, elle n'est pas vérifiable, elle échappe à toute investigation scientifique.

Pourtant, il existe bien, d'expérience, par analyse rationnelle, logique, vérifiable et renouvelable d'une donnée d'expérience, et donc de façon expérimentale, *un support du corps, une force de cohésion, constante durant la vie entière du sujet*: qu'est-ce donc, sinon l'âme? *L'âme est inhérente au corps*: s'il n'y avait pas d'âme, il n'y aurait pas de corps.

---

74. Aristote, philosophe grec (384-322 av J.-C.), précepteur d'Alexandre le Grand et disciple de Platon.

C'est l'âme qui fait que le corps est un corps et non pas un tas d'atomes ou de molécules. Comme le dit Claude Tresmontant : *Celui qui soutiendrait le contraire, qui prétendrait nier l'existence de l'âme, serait obligé de soutenir qu'au lieu d'être un système biologique organisé, informé, individualisé, il n'est qu'un tas, un tas d'atomes. Jamais un tas d'atomes n'aura le prix Nobel !*

Un corps n'existe pas et ne peut pas exister sans âme ou sans animation ou sans information, — ces expressions sont synonymes. Le corps est une unité informée tandis que le cadavre et une multiplicité non informée soutient-il encore avec beaucoup de réalisme[75].

3) L'âme est vitale

L'âme est donc la *puissance de vie*, animatrice et organisatrice du corps, qui fait *être* le sujet. Elle est ce **principe de vie**[76], physique et psychique, qui individualise un organisme vivant qui, en retour, l'individualise.

Remarquons d'ailleurs que, paradoxalement, c'est l'âme – invisible aux sens – qui subsiste toujours pareille à elle-même tout au long de l'existence, alors que le corps – qui

---

75. Claude TRESMONTANT, *Problèmes de notre temps*, O.E.I.L., 1991.
76. « Le mot principe, synonyme des mots cause, origine, vient du latin *principium* qui veut dire : au commencement, dès l'origine, qui agit le premier. Le principe ultime, le Principe des principes, la Cause des causes est l'Être subsistant lui-même dont tout provient. On peut appeler cet Être suprême esprit pur absolument spirituel : Dieu. Il y a des millénaires qu'il en est ainsi » (Dr H. GAVIGNET, *Il n'y a que deux jours*, Tequi, 1981).

apparaît en chair et en os – est constamment renouvelé, et, d'une certaine façon, « apparence » de l'âme !

Conclusion logique : l'âme est ce qui fait qu'un corps est un corps vivant, *l'âme est la vie du corps.* L'âme ne se surajoute pas au corps, elle le constitue. *L'âme est « l'animatrice » du corps*[77]. Elle est l'unité vivante des éléments qui la composent. L'âme et le corps ne font vraiment qu'un.

La preuve, c'est qu'à la mort, que reste-t-il ? Un corps ? Non ! Un corps qui n'a plus en lui ce principe formateur, cette puissance vitale qui le faisait subsister, cette forme qui est sujet, meurt, se corrompt, se décompose ; il reste la matière dont il était fait, un tas de molécules, un tas d'atomes, qui n'a plus vie, qui se décompose inéluctablement, qui retombe en poussière.

Il n'y a pas de matière vivante. Seul un organisme est vivant, c'est le corps qui est vivant, sinon ce n'est plus du tout un corps, c'est une apparence de corps, une illusion de corps ! Un corps non vivant n'est plus un corps, c'est un cadavre, une dépouille, ce qui est tout différent !

4) L'âme est le siège de la personnalité

Dans l'âme, la personne prend conscience de soi comme sujet responsable de ses actes, libre de ses choix et de ses décisions, et doté de moyens de les mettre en œuvre. Ces moyens sont les facultés (intelligence, raisonnement, volonté, mémoire, imagination, affectivité...).

---

77. Thomas d'Aquin dit : « la forme du corps ».

Par la volonté, la personne consent ou refuse, décide. Par l'intelligence, elle raisonne de façon déductive. Et l'affectivité est le siège des sentiments, des émotions, des attirances ou des répulsions.

En somme, l'âme-psychisme embrasse la vie naturelle de l'homme. C'est le moi dans la conscience qu'il a de lui-même et dans l'exercice de ses facultés propres[78].

5) L'âme est spirituelle

Tout vivant est une âme, animal compris bien sûr, dépendante de la seule matière à laquelle elle est liée. Chez l'humain, elle n'est pas que « corporelle », elle est immatérielle, spirituelle, capable de Dieu.

L'homme, en effet, ne se résume pas au monde matériel. Il pressent, depuis l'origine, qu'il n'est pas que matière. Il est mystère. Par nature, il est en recherche d'autre chose. Nous savons bien, d'expérience personnelle encore, que nous ne sommes pas qu'un tube qui digère, un poumon aspirant et expirant l'air, un sexe qui réclame, un psychisme mû par ses fantasmes. Il y a en nous une aspiration au bon, au beau, au vrai ; pas d'être humain conscient qui ne cherche un sens à sa vie, qui n'ait en lui le besoin d'être aimé et d'aimer, qui se pose la question de sa finitude.

L'homme, depuis la nuit des temps, est aussi *homo religiosus...* Il n'existe pas de civilisation sans religion, l'histoire

---

78. Ephrem Yon, *L'homme selon l'Esprit*, DDB, 1995 (livre de base malheureusement épuisé).

nous l'apprend. Pas de civilisation non plus qui, sous une forme ou sous une autre, n'ait postulé l'immortalité de l'âme : dans cette intuition s'ancre son espérance.

L'être humain a donc en lui une *dimension spirituelle inhérente à sa nature même*. Son âme est aussi spirituelle. Cette âme spirituelle, on peut l'appeler *cœur* ou *esprit*, du latin *spiritus*, souffle (*pneuma* en grec)[79]. Elle est *cœur-esprit*.

Le cœur-esprit est *le principe spirituel transcendant* irréductible aux choses et aux forces de ce monde, l'*élément constituant* de la vie spirituelle de l'homme. Il est le lieu d'ouverture au divin, lieu de la conscience spirituelle, de la conscience de Dieu. *Il est ce point infini au centre de la personne, lieu du don, de la communion et où peut se vivre la présence de Dieu* qui nous donne la capacité de croire, de prier, d'adorer, qui n'est soumis ni au temps ni à l'espace, nous fait être présents et frères de tout le genre humain dans le temps et dans l'espace.

Chacun de nos cœurs est appelé à devenir temple du Seigneur.

6) L'Homme est âme vitale et spirituelle

C'est une dimension absolument fondamentale de l'être humain, instance supérieure qui le différencie de tous les autres êtres animés : le composé humain corps-âme est

---

79. Malheureusement, le terme *esprit* a plutôt tendance à définir aujourd'hui le rationnel et non le spirituel.

inspiré. L'homme n'est pas un pur esprit, on le sait bien (ce n'est pas un ange!), c'est une *âme spirituelle*. *L'homme est un être psychosomatique spirituel*[80].

De fait, l'âme humaine échappe à la mort organique de l'élément matériel humain : elle est immortelle, gardant l'individualité (et l'histoire) du corps qu'elle a habité : elle reste l'âme de son corps.

7) Le corps est spirituel

En fonction de ce que nous venons de voir, il faut admettre que le corps est lui aussi spirituel. Nous n'avons pas un corps, mais nous sommes notre propre corps. Notre corps est un corps humain et donc un corps spirituel. Il est inséparable de notre condition humaine. Le corps, c'est nous-mêmes. *Le corps est dans l'homme la morphologie première de l'esprit et son épiphanie permanente*[81].

Le cadavre fait l'objet d'une sépulture destinée à le respecter et à maintenir sa mémoire, car il reste corps humain pour ceux qui ont connu et aimé l'être décédé[82].

Au final, il est important de retenir que l'âme est centrale, vivifiée par l'esprit, versant que l'on peut appeler « âme spirituelle », qui donne vie (et spiritualité) au corps par son versant corporel ou « âme corporelle ». Le corps est

---

80. Ce n'est pas le cas des animaux qui, parce qu'ils sont vivants, ont une âme, mais qui dépend de la seule matière à laquelle elle est liée : elle est donc seulement corporelle et mortelle.
81. Gustave MARTELET s.j., *L'au-delà retrouvé*, Desclée, 1998.
82. D'où le culte rendu aux reliques des saints.

vivant et spirituel grâce à l'âme qui est elle-même vivante et spirituelle grâce à l'esprit. Tout cela ne fait qu'un. L'être humain est substantiellement UN, corps, âme et esprit, avec *retentissement réciproque* entre ces trois structures.

Approche chrétienne

L'anthropologie chrétienne ne dit pas autre chose. L'homme n'est pas un composé finalement assez hétérogène, en partie matériel (le corps, extérieur, visible) et en partie spirituel (l'âme, intérieure, invisible), conception dualiste, néoplatonicienne. Le christianisme a toujours défendu l'unité fondamentale, ontologique, de la personne humaine, faite d'un corps, d'une âme et d'un esprit, fine pointe de l'âme (ou « cœur »), substantiellement unis.

Dans le *Catéchisme de l'Église Catholique (CEC)*[83] il n'y a pas d'entrée « anthropologie », mais la conception de l'être humain est décrite essentiellement dans le paragraphe 6 relatif à la création de l'homme (spécialement les numéros 362 à 368) intitulé *Un de corps et d'âme* où l'âme est présentée essentiellement comme le « principe spirituel » de l'être humain.

Elle en est également le « principe vital ». Il est dit au n° 363 : « Souvent, le terme *âme* désigne dans l'Écriture Sainte la *vie* humaine… » (*cf.* Mt 16, 25-26 ; Jn 15, 13) » et au n° 367 : « Parfois il se trouve que l'âme soit distinguée de l'esprit. Ainsi saint Paul prie pour que notre "être tout

---

83. Centurion/Cerf/Fleurus-Mame, 1998.

entier, l'esprit, l'âme et le corps" soit gardé sans reproche à l'Avènement du Seigneur[84] » (1 Th 5, 23). Ce qui montre bien, à travers cette distinction que la vie est sacrée car partie prenante du spirituel.

Il est dit aussi clairement au n° 368 : « La tradition spirituelle de l'Église insiste aussi sur le *cœur*, au sens biblique de "fond de l'être" (Jr 31, 33) où la personne se décide ou non pour Dieu », auquel cas, en effet, le mot *cœur* rejoint le mot *esprit* et permet de distinguer (sans séparer)[85] *l'âme vitale.*

Signalons encore que dans *Youcat,* le *CEC* pour les jeunes, écrit plus tard (en 2011 pour les JMJ de Madrid)[86], il est dit dans les paragraphes correspondants (sur la créature humaine) n° 56 à 63 : *À la différence des objets inanimés, des plantes et des animaux, l'homme est une personne dotée d'un esprit* (n° 58) et, tellement important à retenir, *l'âme agit pour que le corps matériel devienne un corps vivant, humain* (n° 62).

La foi chrétienne dit qu'à la fin des temps nous ressusciterons corps et âme. L'âme devenue entièrement spirituelle s'incarnera dans un « corps spirituel », un « corps glorieux », incorruptible, par opposition à notre « corps animé » et « corruptible » : notre corps charnel, déjà spirituel à plus d'un titre, le sera alors complètement. La foi

---

84. Et il est ajouté que « cette distinction n'introduit pas une dualité dans l'âme ».
85. Car ce n'est pas parce qu'on distingue que l'on sépare !
86. Sous l'impulsion et la direction du pape Benoît XVI lui-même.

chrétienne *affirme ainsi une réalité d'espérance et de foi qui va bien au-delà de la notion de l'immortalité de l'âme*[87].

De là, il faut bien admettre l'incompatibilité de fait entre la réincarnation et la résurrection. Certes, ces deux croyances donnent la primauté à l'ordre spirituel et sont habitées par une espérance, mais, comme le dit toujours le Père Sesboüé : *La réincarnation n'offre pas de salut au corps, qui n'est plus qu'une enveloppe interchangeable. Elle s'inscrit dans le dualisme du corps et de l'âme.*

Les EMI

Cette approche anthropologique confirme parfaitement ce que nous avons déjà dit :

Les EMI sont une réanimation et en aucune façon une « résurrection » au sens propre du terme, c'est-à-dire un retour de la mort ontologique qui ne peut être que définitive pour le commun des mortels.

La seule Résurrection, c'est celle de Jésus (voir les divers récits des évangiles après sa résurrection). *La résurrection de Jésus n'est pas la réanimation de son cadavre ni son retour à la vie temporelle, mais une arrachée à notre condition mortelle et une entrée dans le monde propre de Dieu*[88].

Il existe certes trois *retours à la vie* rapportés par les Évangiles (la fille de Jaïre, le fils de la veuve de Naïm et

---

87. Bernard Sesboüé *Croire*, chapitre XIV « La résurrection de Jésus » (Droguet & Ardent 1999).
88. *Ibid.*, p. 305.

Lazare[89]) qui sont des cas très spéciaux : ces trois personnes étaient en effet semble-t-il vraiment mortes[90], leur âme spirituelle s'était séparée de leur corps. On ne parle pas ici de résurrection mais de *réanimation au sens propre du terme, nouvelle saisie du corps par le principe spirituel, dues à une intervention miraculeuse du Christ* (Pascal Ide). Il ne s'agit pas non plus d'EMI : ils étaient bien morts. Il y a eu mort métaphysique, sortie et retour provisoire (ils mourront plus tard) de *l'âme spirituelle* dans la personne, de nature ici assurément *miraculeuse* car absolument impossible.

Pour la Vierge Marie, on parle de son *Assomption* (ou de sa *Dormition* chez les orthodoxes) : en effet, raison de son Immaculée Conception (préservée du péché originel), la fin de sa vie est décrite comme une montée au Ciel, corps et âme.

Dans les EMI, même avec phénomène de décorporation il n'y a pas séparation ontologique, réelle, entre l'âme spirituelle (en tant qu'unique principe spirituel) et le corps physique : on serait alors dans la « mort métaphysique ». C'est, en effet, irrecevable : *Il est impossible que l'âme [spirituelle] quitte le corps et l'informe à nouveau car la séparation est irréversible*[91].

Pour la personne humaine, la mort est un séisme qui fait éclater son unité ontologique. On peut envisager qu'à

---

89. Respectivement : Lc 8, 41-42 et 49,55 ; Lc 7, 11-17 ; Jn 11, 1-44.

90. Pour Lazare, c'est évident : « Il sent déjà, c'est le quatrième jour » (Jn 11, 39).

91. Père Pascal IDE, médecin, philosophe et théologien, dans le *Dictionnaire des miracles et de l'extraordinaire chrétien* sous la direction de Patrick SBALCHIERO, Fayard, 2002, chapitre « Near *Death Experiences* » p. 567-568.

ce moment, à la frontière de la mort, entre la mort clinique et la mort définitive, il se produit comme un début de distanciation entre le corps et l'âme qui va vers l'inéluctable séparation mais qui peut encore être réversible. C'est dans ce laps de temps que peuvent se produire les manifestations rapportées par les expérienceurs.

Par contre, une fois la mort véritable réalisée, on entre définitivement dans une autre vie, la Vie éternelle, et cette vie après la mort n'est plus une durée mais *un achèvement où toute la vie nous est présentée en un seul instant, un instant éternel, où la notion même de temps n'existe plus* (Père Martin Panhard)[92].

Dans cette anthropologie réaliste, les EMI peuvent être acceptées et comprises, et, en retour, elles apportent une confirmation de cette approche.

Si l'esprit de celui qui a ressuscité Jésus d'entre les morts habite en vous, celui qui a ressuscité Jésus d'entre les morts donnera aussi la vie à vos corps mortels par son Esprit qui habite en vous. Romains 8, 11

---

92. Ancien chapelain du sanctuaire Notre-Dame de Montligeon fondé il y a un siècle dans l'Orne et dédié depuis ses origines à la prière pour les défunts.

6ᵉ témoignage :
« Fusillé ! »

Voici une lettre écrite par *l'abbé Jean* DEROBERT, témoignage certifié donné en vue de la canonisation du Padre Pio[93]. Le Père Derobert, décédé récemment, a écrit un livre sur la vie de ce saint : *Padre Pio, transparent de Dieu.*

Cher Père,

Vous m'avez demandé un résumé écrit au sujet de l'évidente protection dont j'ai été l'objet en août 1958, pendant la guerre d'Algérie.

J'étais, à ce moment-là, au service de santé des armées. J'avais remarqué qu'à chaque moment important de ma vie, Padre Pio qui m'avait pris en 1955 comme fils spirituel, me faisait parvenir une carte m'assurant de sa prière et de son soutien. Tel fut le cas avant mon examen de l'Université Grégorienne de Rome, tel fut le cas au moment de mon départ à l'Armée, tel fut le cas au moment où je dus rejoindre les combattants d'Algérie.

---

93. Document faisant partie du procès en canonisation du Padre Pio.

Un soir, un commando F.L.N. (Front de Libération Nationale Algérienne) attaqua notre village et je fus bientôt maîtrisé et mis devant une porte avec cinq autres militaires et là, nous fûmes fusillés. Je me souviens que je n'ai pensé ni à mon père, ni à ma mère dont j'étais pourtant le fils unique mais j'éprouvais seulement une grande joie car « j'allais voir ce qu'il y a de l'autre côté. » J'avais reçu, le matin même, une carte de la part de Padre Pio avec deux lignes manuscrites : « La vie est une lutte mais elle conduit à la lumière » (souligné deux et trois fois).

Immédiatement, je fis l'expérience de la dé-corporation. Je vis mon corps à côté de moi-même, couché et sanglant au milieu de mes camarades tués, eux aussi. Et je commençai une ascension curieuse dans une sorte de tunnel. De la nuée qui m'entourait, émergeaient des visages connus et inconnus. Au début, ces visages étaient sombres ; il s'agissait de gens peu recommandables, pécheurs, peu vertueux. À mesure que je montais, les visages rencontrés devenaient plus lumineux.

Je m'étonnais de ce que je pouvais marcher… et je me dis que, pour moi, j'étais hors du temps, donc déjà ressuscité… Je m'étonnais de voir tout autour de ma tête sans me retourner… Je m'étonnais de n'avoir rien ressenti des blessures occasionnées par les balles de fusils… et je compris qu'elles étaient entrées dans mon corps tellement vite que j'avais pu ne rien sentir.

Subitement, ma pensée s'envola vers mes parents. Immédiatement, je me suis trouvé chez moi, à Annecy, dans la chambre de mes parents que je vis dormir. J'essayais de leur parler, sans succès. J'ai visité l'appartement notant le changement de place d'un meuble. Plusieurs jours après, écrivant à ma mère, je lui ai demandé pourquoi elle avait déplacé ce meuble. Elle m'écrivit en réponse : « Comment le sais-tu ? »

J'ai pensé au pape Pie XII que je connaissais bien (j'étais étudiant à Rome) et, de suite, je me suis trouvé dans sa chambre. Il venait de se mettre au lit. Nous avons parlé par échange de pensées, car c'était un grand spirituel.

J'ai continué mon ascension jusqu'au moment où je me suis trouvé dans un paysage merveilleux, enveloppé d'une lumière bleutée et douce… Il n'y avait pourtant pas de soleil « car le Seigneur est leur lumière… », comme le dit l'Apocalypse. J'ai vu là des milliers de personnes, toutes à l'âge de trente ans à peu près, mais j'en rencontrais quelques-unes que je connaissais de leur vivant… Telle était morte à 80 ans… et elle semblait en avoir 30… telle autre était morte à 2 ans… et elles avaient le même âge…

J'ai quitté ce « paradis » plein de fleurs extraordinaires et inconnues ici-bas. Et je suis monté encore plus haut… Là, j'ai perdu ma nature d'homme et je suis devenu une « goutte de lumière ».

Je vis beaucoup d'autres « gouttes de lumière » et je savais que telle était saint Pierre, telle autre Paul ou Jean ou un apôtre, ou tel saint…

Puis je vis Marie, merveilleusement belle dans son manteau de lumière, qui m'accueillait avec un sourire indicible… Derrière elle, il y avait Jésus, merveilleusement beau, et derrière, une zone de lumière dont je savais qu'elle était le Père, dans laquelle je me suis plongé…

J'ai ressenti là l'assouvissement total de tout ce que je pouvais désirer… J'ai connu le bonheur parfait… et brusquement, je me suis retrouvé sur terre, le visage dans la poussière, au milieu des corps sanglants de mes camarades.

Je me suis rendu compte que la porte devant laquelle je me trouvais, était criblée par les balles qui m'avaient traversé le corps, que mon vêtement était percé et plein de sang, que ma poitrine et mon dos étaient maculés de sang à moitié séché, un peu visqueux… mais que j'étais intact. Je suis allé voir le commandant dans cette tenue. Il vint à moi et cria au miracle. C'était le commandant Cazelle, aujourd'hui décédé.

Cette expérience m'a beaucoup marqué, on s'en doute. Mais lorsque, libéré de l'Armée, je me rendis auprès de Padre Pio, celui-ci m'aperçut de loin dans le salon Saint-François. Il me fit signe de m'approcher et me donna, comme d'habitude, un petit signe d'affection. Puis il me dit ces simples mots : « Oh ! ce que tu as pu me faire courir, toi ! Mais ce que tu as vu, c'était très beau ! » Et il borna là son explication.

On comprend maintenant pourquoi je n'ai plus peur de la mort… puisque je sais ce qu'il y a de l'autre côté.

Père Jean Derobert

Deux témoins

Monseigneur Oscar Romero

Oscar Romero, évêque de San Salvador, avait pris fait et cause pour les pauvres. Peu avant d'être assassiné, le 24 mars 1980 alors qu'il célébrait la messe, il déclarait : « Si on me tue, je ressusciterai dans le peuple, je le dis sans jactance, avec la plus grande humilité. Si on arrivait à me tuer, je pardonne et je bénis ceux qui le font. Le martyre est une grâce de Dieu que je ne crois pas mériter. Mais si Dieu accepte le sacrifice de ma vie, que mon sang soit semence de liberté et signal d'espérance. »

Martin Luther King

Dernier paragraphe de son sermon du 3 avril 1968 : « Ce qui va m'arriver maintenant n'importe guère. Nous avons devant nous des journées difficiles. Mais peu m'importe ce qui va m'arriver maintenant. Car je suis allé jusqu'au sommet de la montagne. Et je ne m'inquiète plus. Comme tout le monde, je voudrais vivre longtemps. La longévité a son prix. Mais je ne m'en soucie guère maintenant. Je veux simplement que la volonté de Dieu soit faite. Et il m'a permis d'atteindre le sommet de la montagne. Et j'ai regardé autour de moi. Et j'ai vu la

Terre Promise. Il se peut que je n'y pénètre pas avec vous. Mais je veux vous faire savoir, ce soir, que notre peuple atteindra la Terre Promise. Ainsi je suis heureux, ce soir. Je ne m'inquiète de rien. Je ne crains aucun homme. Mes yeux ont vu la gloire de la venue du Seigneur. »

Le lendemain 4 avril 1968,
Martin Luther King était assassiné.

D'autres phénomènes extraordinaires

Pour vivre une spiritualité au quotidien,
nous devons garder à l'esprit
que nous sommes des êtres spirituels
empruntant pour quelque temps un corps humain.
Barbara De Angelis

Pour essayer encore de mieux appréhender ce qui se passe dans une EMI, nous abordons ici quelques phénomènes tout aussi surprenants – chrétiens – qu'il est intéressant de rapprocher.

Le surnaturel extraordinaire

Il existe un surnaturel chrétien, mais il n'a pas bonne presse car il faut avouer qu'il n'est pas toujours évident de l'expliquer raisonnablement. L'Église elle-même est extrêmement prudente et vigilante à son égard, ne voulant pas que la foi repose sur le merveilleux (avec son risque de fidéisme).

C'est ce que souligne bien le Père René Laurentin[94] :

L'extraordinaire est plutôt mal vu aujourd'hui, dans le monde scientifique comme dans l'Église catholique, pour des raisons différentes.

Pour les sciences, l' «extraordinaire» est sans prestige. Ce n'est qu'une interférence de causes accidentelles et spectaculaires. Il faut les identifier au-delà des mythes et des projections imaginaires qu'elles suscitent dans l'opinion. L'insolite ne fait pas échec à la raison. L'inexpliqué n'est jamais inexplicable. Il doit être expliqué selon le déterminisme des causes et, ainsi, restitué dans l'ordre général. Le qualificatif doit être réduit au quantitatif, la splendeur des couleurs, à la fréquence des vibrations optiques ; la magie des concerts, au chiffre des vibrations auditives ; et, pourquoi pas, la pensée au cerveau[95]. Selon la méthode scientifique, point de *Deus ex machina* ; les apparences qui nous éblouissent sont la résultante de causes quantitatives.

L'extraordinaire n'est pas mieux vu dans l'Église. Celle-ci redoute l'illuminisme des croyants enthousiastes et les projections de l'imagination, souvent trop prompte à objectiver ses désirs, ses aspirations, ses croyances, alors que la foi, c'est croire en Dieu sur parole, dans la nuit : « Bienheureux ceux qui n'ont pas vu mais qui croient »,

---

94. Dans son introduction du livre de référence : *Dictionnaire des miracles et de l'extraordinaire chrétiens.*
95. Nous avons vu ce qu'il fallait en penser.

dit Jésus (Jn 20, 29). Visions et prodiges chrétiens ne sont qu'un surcroît gratuit, à discerner humblement marginalement et de manière conjecturale, en n'accédant jamais à la certitude. L'Église ne cultive pas le miracle. Elle le redoute, le marginalise et, le plus souvent, le dissimule comme une interférence ou un écran fâcheux à la foi et aux sacrements. En cela, elle est l'héritière de la Bible, première initiatrice de la démythologisation dans le monde entier : car la révélation de Yahweh (« Je Suis ») a détruit les mythes de l'Antiquité. Et l'Empire romain condamna les chrétiens comme athées parce qu'ils évacuaient les mythes religieux.

Aborder avec rigueur la question de ces phénomènes extraordinaires implique aussi une réflexion sur le concept de *surnaturel* car, trop souvent, on confond « surnaturel » et « merveilleux ». Le surnaturel est conversion, sanctification, divinisation : c'est l'action de Dieu qui, en transformant la nature, l'élève jusqu'à Lui. Le surnaturel n'est pas une instance abstraite qui serait surajoutée à la nature ou le domaine des phénomènes extraordinaires. *Il est à la fois ce à quoi Dieu invite (vivre de la vie trinitaire) et ce par quoi Il propose de Le rejoindre (vie baptismale en accord avec l'Évangile)* dit Patrick Sbalchiero[96]. Il souligne également avec raison : *Le surnaturel n'est jamais abstrait, indépendant des réalités concrètes* [...] *Le surnaturel extraordinaire n'est pas indispensable à la foi chrétienne, les*

---

96. *Dictionnaire des miracles...* p. 768 et 769.

vertus théologales suffisent [...] *Le surnaturel extraordinaire ne contraint pas les hommes à la croyance.*

Patrick Sbalchiero souligne deux points importants :

1 - Le surnaturel désigne l'ordre de la grâce, c'est-à-dire la sanctification (divinisation, disent les Orientaux) de l'homme par le don de l'Esprit Saint. Le surnaturel, c'est la manière courante, raisonnable, par laquelle Dieu se manifeste : par la foi, l'Écriture, l'enseignement théologique.

2 - Mais il existe un surnaturel extraordinaire, périphérique, marginal : celui des manifestations sensibles dans la rencontre de Dieu [...] La présence de l'extraordinaire en ce monde n'a qu'une raison d'être : suggérer humblement aux hommes ce à quoi la création est appelée à devenir en Dieu.

L'extraordinaire chrétien

C'est ce dont nous parlons ici, en comparant les EMI, phénomènes extraordinaires s'il en est, avec trois sortes de phénomènes surnaturels chrétiens singuliers : les apparitions, quelques manifestations mystiques et les miracles.

1°) Apparitions

Les apparitions ont existé tout au long de l'histoire de l'Église, avec une fréquence apparemment croissante, surtout en ce qui concerne les apparitions mariales. L'Église peut reconnaître une apparition mais n'en fait jamais un dogme : un chrétien est libre d'y croire ou pas.

Le mot « apparition » est employé pour désigner une réalité vue, normalement invisible. Ce ne sont pas les critères de discernement pour les reconnaître qui nous intéressent ici mais le mécanisme possible.

Les apparitions les plus connues montrent clairement que les voyants sont en *extase*. C'est un état particulier qui est donné, impossible à acquérir volontairement, un état modifié de conscience. Durant l'extase, les voyants ne dorment pas, ne rêvent pas, ils ne sont pas non plus en épilepsie (qui provoque des visions). Les électroencéphalogrammes enregistrent un rythme alpha diffus et synchrone sur l'ensemble du cerveau ; les yeux sont rivés sur l'apparition, sans clignement à la menace. On note une insensibilité générale (à la douleur en particulier) et cornéenne ainsi qu'une absence de réflexe neurologique. Enfin, il existe un comportement synchronique des voyants quand ils ont ensemble une apparition[97]. Ces résultats écartent toute simulation ou supercherie, toute épilepsie ou hallucination, et mettent fin à la théorie séculaire de

---

97. *Études médicales et scientifiques des apparitions*, R. LAURENTIN et H. JOYEUX, F-X de Guibert, 1985.

Charcot selon laquelle les apparitions sont un phénomène d'hystérie.

Le corps n'est donc plus le même, il n'est plus dans son état ordinaire. Durant l'apparition il semble donc qu'il ne dépende plus seulement de l'âme vitale mais prioritairement de l'âme spirituelle, ce qui lui permet de *voir l'invisible*.

C'est ce qui se passe aussi dans les extases mystiques (où l'on parle de « ravissement ») : le corps acquiert des propriétés de l'ordre du spirituel.

Il est arrivé que des voyants accèdent à une vision de l'au-delà, pendant une apparition mariale, ce qui montre que, comme dans les EMI, une distanciation entre le corps, l'âme et l'esprit est possible pour un temps. C'est le cas des trois voyants de Fatima (en 1917 au Portugal)[98].

2°) Manifestations mystiques

Elles font en quelque sorte la démonstration de l'existence de l'âme, à la jonction du spirituel et du corporel. Les mystiques sont des hommes ou des femmes, qui ont le plus souvent fait le choix de la vie monastique ou religieuse délaissant les attachements terrestres pour être tout entiers à Dieu. Dans cet état d'offrande et d'union divine, *leur âme est tellement spiritualisée* que « ce n'est plus eux qui vivent mais le Christ qui vit en eux » (cf.

---

98. Qui fait partie des seulement quatorze reconnaissances officielles canoniques par l'Église catholique.

saint Paul aux Galates 2, 20). Et il peut arriver alors à certains – sans qu'ils le recherchent[99] – des manifestations extraordinaires que l'on dit *mystiques* qui sont comme une approche vers une vie libérée de la matérialité, sortes de signes avant-coureurs de la plénitude promise aux hommes de bonne volonté.

La *lévitation* est une extase ascensionnelle : inopinément, à ce moment-là, le corps du sujet est soulevé de terre, plus ou moins haut et plus ou moins longtemps durant une contemplation mystique (ou ravissement). La liste des saints qui ont vécu ce phénomène attesté par de nombreux témoins est étonnante. La seule explication plausible est que l'âme spiritualisée peut entraîner le corps avec elle, qui perd sa lourdeur charnelle normale et peut accomplir ce qu'il ne peut pas réaliser dans des conditions humaines normales.

Les *bilocations*, où le mystique se retrouve simultanément en deux endroits différents, sont encore plus surprenantes. Ce n'est pas du cinéma : c'est arrivé au XXᵉ siècle chez une Mère Yvonne-Aimée de Malestroit (1901-1951)[100] ou un Padre Pio (1887-1968)[101]. Le sujet reste en extase dans un lieu, tandis qu'il manifeste une activité tangible ailleurs. Seule l'âme peut être à deux endroits différents en même temps.

---

99. Ce qui est le cas aussi des expérienceurs qui ne peuvent pas faire des EMI à la demande, tout comme les voyants qui n'ont pas d'apparition sur demande ! C'est donné !
100. Son dossier de béatification a été bloqué à Rome en 1960 probablement en raison du trop de « merveilleux » dans lequel baignait sa vie...
101. Qui a pu apparaître à un pilote d'avion devant son cockpit en plein ciel !

Les *stigmates* sont « une sorte d'impression douloureuse des plaies de Jésus en croix sur les pieds, les mains, le front, le côté d'une personne, en extase ou non[102] ». Le premier stigmatisé vraiment connu est saint François d'Assise en 1224. Depuis on a relevé les noms de plus de 350 stigmatisés, mystiques pour la plupart. Les plus récents et les plus connus – vivant au XXe siècle ! – sont Thérèse Newman (1898-1962), Padre Pio, Yvonne-Aimée de Malestroit et Marthe Robin (1902-1981). Il faut croire que l'âme est tellement imprégnée de Dieu, du Dieu fait homme en Jésus-Christ, mort crucifié sur la Croix, qu'elle s'extériorise dans la chair elle-même.

L'inédie: la mystique peut vivre sans manger. C'est le cas de Marthe Robin qui ne s'est nourrie durant de nombreuses années que de l'hostie eucharistique. On peut imaginer que son âme était alors suffisamment nourrie pour maintenir le corps en vie.

Il est clair que la médecine ne sait expliquer ni l'origine, ni l'évolution de ces faits (par exemple les stigmates ne s'infectent jamais, n'entraînent ni inflammation ni suppuration ; la réparation des chairs est anormalement rapide sans aucun traitement médical ; l'inédie ou la transverbération du cœur sont invraisemblables...). Notons d'ailleurs que l'Église ne canonisera ces personnes que pour leurs vertus évangéliques, non pour ces manifestations atypiques.

---

102. Patrick SBALCHIERO.

Il faut aussi savoir que beaucoup de mystiques, de toutes les époques, ont vécu des expériences présentant des coïncidences troublantes avec les EMI, que ce soit sainte Catherine de Sienne (1347-1380), sainte Marie-Madeleine de Pazzi (1556-1607), sainte Thérèse d'Avila (1515-1582), Anne-Catherine Emmerich (1774-1824), etc.

Je ne prendrai l'exemple que de *Marie de Jésus crucifié*, « la petite arabe », maintenant sainte Mariam, dont vous aurez le témoignage de son incroyable EMI dans l'épilogue.

Pratique, les pieds sur terre, elle n'était pas une « illuminée », et pourtant elle n'a cessé de côtoyer le surnaturel, bénéficiant d'un grand nombre de manifestations mystiques extraordinaires tout au long de sa vie, rarement réunies en une seule personne : apparitions, visions, révélations, prophéties, extases, guérisons miraculeuses, bilocations, stigmates, lévitations, transverbération du cœur[103], etc.

Extases : elles étaient fréquentes ; rien, alors, ni personne ne pouvaient la faire bouger ; son insensibilité était totale.

Lévitations : huit ascensions dûment constatées au carmel de Pau en 1873[104] : on la voyait s'élever au sommet de grands tilleuls par l'extrémité des branches, glissant

---

103. Cœur charnel transpercé, comme celui de Jésus par la lance du centurion (terme de la phénoménologie mystique d'origine latine *transverberare*, transpercer).
104. Devenu la *Maison Saint-Michel*, tenue par les Pères de Bétharram, le Carmel ayant fermé.

en un clin d'œil jusqu'au sommet de l'arbre par l'extérieur. Arrivée au sommet, elle se balançait sur une petite branche trop faible pour la soutenir et chantait l'amour de Dieu. Puis, quand sa supérieure le lui ordonnait, elle redescendait avec légèreté ; revenue à elle-même, elle ne se souvenait de rien.

Stigmates : au cœur (à l'âge de vingt ans), puis d'autres au front et aux mains ; elle faisait tout pour les cacher.

Transverbération : survenue en 1868 au carmel de Pau (à l'ermitage de Notre-Dame du Mont Carmel[105]). Constatée à son décès, son cœur a été conservé à Pau avec la trace bien visible de ce transpercement[106].

Apparitions : elle était familière des anges, d'Élie, de saint Joseph, de la Vierge Marie et de Jésus[107] ! Combats singuliers contre Satan (en particulier durant 40 jours au Carmel de Pau, du 26 juillet au 4 septembre 1868).

Comment expliquer tous ces faits extraordinaires ? La science classique ne pourra jamais les expliquer ou les reproduire[108]. Je les cite parce qu'ils montrent que ce que nous connaissons de l'être humain est, en fait, bien limité ! L'âme humaine est beaucoup plus profonde qu'on l'imagine, apportant à la personne, dans des conditions limites, des possibilités extraordinaires !

---

105. Petite chapelle toujours existante dans le parc.
106. Malheureusement volé par un dément qui l'aurait jeté dans le Gave…
107. Elle verra le bienheureux abbé Louis-Edouard CESTAC récemment décédé (le 27 mars 1868).
108. Lire à ce sujet : *Enquête sur les miracles,* Éditions du Jubilé, Montrouge, 2015.

3°) Miracles

Les nombreux témoignages qui se sont produits à Lourdes depuis 1858, que j'ai recueillis et publiés pour un certain nombre dans mon dernier livre[109], montrent clairement des rapprochements évidents entre EMI et guérisons miraculeuses.

Les miracles comme les EMI sont des « signes » basés sur le témoignage de ceux qui l'ont vécu.

Les EMI sont souvent vécus comme des miracles par ceux qui en reviennent, à la suite, le plus souvent, d'une « mort » violente : c'est leur témoignage qui compte, tout en sachant – faut-il le redire encore une fois ? – que la mort clinique n'est pas forcément une mort définitive et qu'il ne s'agit donc pas de miracle au sens strict du terme.

Les EMI et les miracles ont encore quelque chose à voir dans la mesure où l'on estime que dans l'EMI on fait la rencontre de cet Être spirituel qui ne peut être que Dieu, et que le miracle est un phénomène extraordinaire interprété comme résultant d'une intervention d'origine divine.

Ce qui est troublant, c'est que les *EMI comme les miracles transforment ceux qui les vivent,* causant de profondes modifications dans l'appréhension de la vie et de la mort, avec une réelle ouverture à l'autre. Dans les deux cas, ce changement provient de la « rencontre » de

---

109. *Lourdes, des miracles pour notre guérison,* réédité en septembre 2016, Parole et Silence.

cet « Être spirituel ». Ils ne l'oublieront jamais ! À noter également que ceux qui ont vécu ces expériences n'essaient pas de convaincre. Si on leur demande, et seulement si on leur demande, ils témoignent. Point.

À propos des expérienceurs : « *Leur vie avait gagné en profondeur* », « *en aucun cas, elle ne leur a inspiré l'idée d'un salut instantané ou d'une infaillibilité morale* » souligne van Lommel.

Les miraculés (qu'ils soient ou non reconnus officiellement, mais qui vivent une guérison d'ordre miraculeux, totalement inexpliquée par le corps médical) témoignent d'un changement complet de leur façon de voir la vie. Pour tous, il y a un *avant* et un *après* exactement comme pour les expérienceurs : leur vie est transformée sur tous les plans[110]. Pour les uns comme pour les autres, il s'agit d'un *vécu personnel unique* qui nécessite décryptage et authentification pour en assurer la réalité à la fois sur le plan de la raison et de la foi.

Enfin, les EMI comme les miracles ne peuvent pas être expliqués par des causes physiologiques, psychologiques, culturelles ou religieuses : ils sont médicalement inexplicables. De fait, il n'y a pas de preuves « scientifiques » de leur existence, car les méthodes de la science moderne ne sont pas adaptées à ces expériences humaines. Ce sont bien des « signes », avec leur spécificité qu'ils nous laissent toujours libres d'y croire ou pas.

---

110. Dans mon livre, *Lourdes, des miracles pour notre guérison,* je donne de multiples exemples de telles transformations de personnes guéries miraculeusement.

Il se fait aussi que *des EMI peuvent provoquer des guérisons physiques ou psychiques*, ce qui, je dois le dire, ne m'étonne pas.

À partir des témoignages qu'il reçoit du monde entier, Jeffrey Long souligne qu'en tant que médecin, il est *fasciné par les nombreux récits faisant état de guérisons inattendues. Les mots « miracle » et « guérison » s'y répètent pas dizaines.* Il ne peut pas assurer que ces rétablissements se produisent grâce aux EMI mais il se pose la question. Il souhaite d'ailleurs consacrer ses recherches à l'étude de ces guérisons miraculeuses

Le Dr Sylvie Déthiollaz, biologiste, fondatrice du Centre Noesis, en donne quelques exemples[111]. Des personnes souffrant de cancers en phase terminale vont guérir rapidement sans aucune raison médicale apparente *comme si le bain de lumière (vécu pendant l'EMI) avait donné la force à ses cellules de guérir.* C'est tout à fait cela! Sylvie Déthiollaz ne le dit pas, mais j'estime que dans ces cas on peut bien parler ici de miracle, comme je vais l'expliciter.

D'autres ont vécu cette expérience comme une *psychanalyse accélérée, dans la mesure où la personne a accès à des informations – en général au cours de la revue de vie – qui vont lui permettre de comprendre l'origine d'un traumatisme très ancien, très enfoui jusque-là, et d'un pouvoir de le surmonter[112].* Ici aussi, dans la foi, si on croit

---

111. Dans les Actes du 1er Colloque sur les EMI à Martigues.
112. *Ibidem.*

que Dieu est intervenu pour nous éclairer, je ne vois pas pourquoi on ne pourrait pas parler de miracle, même si la guérison est d'ordre seulement psychologique. En fait, on constate d'abord et avant tout une guérison de l'amour de soi : c'est une thérapie instantanée qui permet à l'expérienceur de s'accepter tel qu'il est, de s'accepter sans réserve car, comme le dit l'un d'entre eux : *Dieu m'aime tout simplement comme je suis.* Personnellement, je ne suis vraiment pas surpris.

S'il n'y a pas d'explication médicale à une guérison miraculeuse, qui présente des caractéristiques inconnues de la médecine, en particulier l'instantanéité de la guérison, sans convalescence, ainsi que sa perfection, on ne peut pas ne pas essayer de comprendre ce qui se passe ! Les guéris sont des personnes ordinaires, qui restent sur terre : il faut bien qu'il y ait un mécanisme interne qui agisse en un temps très court – instantané même – dans leur organisme. D'où vient cette possibilité ? Elle ne peut pas venir du corps lui-même, qui n'a en aucune façon cette capacité. Ce n'est pas non plus le psychisme qui peut agir de la sorte. On peut invoquer l'effet placebo ou la méthode Coué, mais si c'était le cas, pourquoi ne le voit-on pas plus souvent n'importe où, chez les psychologues ou les psychiatres en particulier ?

Non, l'origine est d'un autre ordre. Certes, ces guérisons se passent le plus souvent dans un contexte de foi, c'est évident dans l'enceinte du Sanctuaire de Lourdes. Mais, déjà, certaines d'entre elles ont lieu ailleurs (dans le trajet aller ou retour, par exemple, ou même n'importe où...). De plus, des personnes ont pu guérir à Lourdes sans savoir vraiment ce que ce lieu représente ou sans avoir la foi ou étant d'une religion différente (j'ai constaté plusieurs guérisons de femmes musulmanes). Beaucoup de guéris ne s'y attendaient pas du tout juste avant. La « croyance » en la guérison ne peut donc pas être invoquée. On peut ainsi dire que la guérison miraculeuse ne dépend pas de celui qui est guéri. Mais il se passe bien en lui un processus guérissant. S'il ne vient ni du corps ni du psychique, son origine ne peut être que l'âme spirituelle.

C'est d'ailleurs ce que j'ai toujours noté. Le miraculé que j'ai le plus suivi et le mieux connu, Jean-Pierre Bély, disait toujours à qui voulait l'entendre qu'il avait reçu une force spirituelle inconnue de lui en recevant trois sacrements de guérison de l'Église, la réconciliation, l'eucharistie et l'onction des malades, et que : *cette énergie reçue s'était en quelque sort diffusée, déployée, dans tout mon organisme, jusqu'à chacune de mes cellules, provoquant ma guérison.* Guérison instantanée dont il a eu tout de suite conscience (comme tous les miraculés), le libérant sur le champ des maux dont il souffrait depuis 16 ans. Il était atteint d'une sclérose en plaques grave, reconnu invalide à 100 % avec nécessité d'une tierce personne par la Sécurité Sociale, à titre définitif. En rentrant chez lui, il faisait de la bicyclette !

C'est donc bien depuis le plus profond et le plus sacré de notre être, l'esprit/cœur, inhérent à toute personne, croyante ou pas, que le processus a lieu.

Il en est de même dans les EMI : la personne vit une sainte rencontre « extrême » hors des limites terrestres. Il n'y a donc rien d'étonnant qu'elle puisse se retrouver guérie de maux antérieurs.

Jeffrey Long donne des exemples d'aveugles de naissance[113] qui ont pu voir pendant leur EMI, une sorte d'expérience « visuelle », car ils ne savent pas en réalité ce que c'est que voir, *événement inexplicable sur le plan médical* dit-il. En tout cas, *ils voient instantanément dès que leur EMI commence ; en outre leur vue est claire et précise* dit J. Long. Cet événement n'est compréhensible que s'ils ont été en contact avec un Dieu qui ne veut pas que nous soyons aveugles. Au Ciel, il n'y aura pas plus d'aveugles que de boiteux !

J. Long reconnaît d'ailleurs que *la vue de l'autre côté est différente de la vue terrestre, à laquelle nous sommes tant habitués. Plus complète et intense, son origine n'est pas organique,* ce qui, ici aussi, est juste.

À Lourdes, des aveugles ont vu. L'origine n'était pas organique, mais bien « céleste ». Nous sommes dans le même « niveau d'intervention » qui s'origine, pour ce qui est des guérisons miraculeuses, par effusion de l'Esprit Saint en nous, dans notre âme spirituelle, irradiant

---

113. Dans leurs rêves, les aveugles de naissance ne voient pas, car ils ne peuvent pas comprendre ce que c'est que voir.

à l'ensemble du corps, dont la venue ne dépend pas de nous mais de Dieu seul.

Le Tout-Puissant a tout pouvoir de guérir! S'il le juge bon, bien sûr! Certains ont recouvré la vue après leur EMI, d'autres non. Ce n'est pas nous qui savons ce qui est le mieux pour nous, pour notre destinée ultime!

Je vis une foule immense, de toutes nations, races, peuples et langues. Ils se tenaient debout devant le trône et devant l'Agneau, en vêtements blancs, avec des palmes à la main. Apocalypse 7, 9

7ᵉ témoignage :
« Un prêtre qui a vu l'enfer, le purgatoire et le ciel »

Je suis l'aîné de sept enfants, né le 16 juillet 1949 à Kerala, aux Indes.

À l'âge de 14 ans, je suis entré au petit séminaire Sainte-Marie à Thiruvalla pour y commencer mes études pour la prêtrise. Quatre ans plus tard, je suis allé au grand séminaire pontifical Saint-Joseph à Alwaye, Kerala, afin d'y poursuivre ma formation à la prêtrise. Après avoir complété les sept années de philosophie et de théologie, j'ai été ordonné prêtre le 1ᵉʳ janvier 1975 et j'ai servi comme missionnaire dans le diocèse de Thiruvalla.

Le dimanche 14 avril 1985, fête de la Divine Miséricorde, je m'en allais célébrer une messe dans une église de mission dans la partie nord de Kerala, lorsque j'ai eu un accident mortel. Je roulais à motocyclette et j'ai été heurté de plein fouet par une jeep conduite par un homme en état d'ivresse qui revenait d'un festival hindou. On m'a transporté d'urgence à un hôpital situé à environ 55 kilomètres. Durant le trajet, mon âme est sortie de mon corps et j'ai fait l'expérience de la mort. Immédiatement, j'ai rencontré mon Ange gardien.

J'ai vu mon corps et les personnes qui me transportaient à l'hôpital. Je les ai entendues pleurer et prier pour moi. À ce moment, mon Ange m'a dit : « Je vais t'amener au Ciel, le Seigneur veut te rencontrer et te parler. » Il a ajouté qu'en chemin, il voulait me montrer l'Enfer et le Purgatoire.

L'Ange m'a d'abord escorté en *Enfer*. C'était une vision effroyable. J'ai vu Satan et les démons, un feu inextinguible aux environs de 2000° C., des vers rampants, des gens qui criaient et se battaient, et d'autres torturés par les démons. L'Ange m'a dit que toutes ces souffrances étaient dues à des péchés mortels sans repentir. Puis, j'ai compris qu'il y avait sept degrés ou niveaux de souffrances selon le nombre et la sorte de péchés mortels commis dans leur vie terrestre. Les âmes paraissaient très laides, cruelles et horribles. C'était une expérience affreuse. J'ai vu des gens que je connaissais mais dont je n'ai pas la permission de révéler l'identité. Les péchés qui les ont condamnés étaient principalement l'avortement, l'homosexualité, l'euthanasie, la haine, le refus de pardonner et le sacrilège. L'Ange m'a dit que si ces personnes s'étaient repenties, elles auraient évité l'Enfer et seraient allées plutôt au Purgatoire. J'ai aussi compris que celles qui se repentent de ces péchés pouvaient être purifiées sur terre par leurs souffrances. De cette manière, elles peuvent éviter le Purgatoire et aller directement au Ciel. J'ai été surpris lorsque j'ai vu en Enfer même des prêtres et des évêques que je ne m'attendais pas à trouver là. Plusieurs d'entre eux y étaient parce qu'ils avaient trompé les gens avec leurs faux enseignements et leur mauvais exemple.

Après la visite en Enfer, mon Ange gardien m'a escorté au *Purgatoire*. Là aussi, il y a sept degrés de souffrances et un feu inextinguible. Mais c'est beaucoup moins intense qu'en Enfer et il n'y avait pas non plus de querelles et de combats. La principale souffrance de ces âmes est d'être séparées de Dieu. Certaines de ces âmes qui sont au Purgatoire ont commis de nombreux péchés mortels, mais elles se sont réconciliées avec Dieu avant leur mort. Bien que ces âmes souffrent, elles jouissent de la paix et savent qu'un jour elles verront Dieu face à face.

J'ai eu la chance de communiquer avec les âmes du Purgatoire. Elles m'ont demandé de prier pour elles et de dire aussi aux gens de prier pour qu'elles puissent aller au Ciel rapidement.

Quand nous prions pour ces âmes, nous recevons leur reconnaissance à travers leurs prières et, au Ciel, leurs prières deviendront plus méritoires.

Il m'est difficile de décrire la beauté de mon Ange gardien. Il est radieux et brillant. Il est mon compagnon constant et m'aide dans tous mes ministères, particulièrement mon ministère de guérison. Je fais l'expérience de sa présence partout où je vais et je lui suis reconnaissant pour sa protection dans ma vie quotidienne.

Par la suite, mon Ange m'a escorté au *Ciel* en passant à travers un grand et éblouissant tunnel blanc. Je n'ai jamais ressenti autant de paix et de joie dans ma vie. Puis, aussitôt, le Ciel s'est ouvert et j'ai entendu la plus belle musique qui soit. Les Anges chantaient et louaient Dieu. J'ai vu tous les saints, spécialement la Sainte Mère et saint Joseph et plusieurs évêques et prêtres consacrés saints qui brillaient comme des étoiles.

Lorsque j'ai paru devant le Seigneur Jésus, Il m'a dit : « Je veux que tu retournes dans le monde. Dans ta seconde vie, tu seras un instrument de paix et de guérison pour mon peuple. Tu marcheras sur une terre étrangère et tu parleras une langue étrangère. Tout est possible pour toi avec ma grâce. » Après ces paroles, la Sainte Mère m'a dit : « Fais tout ce qu'Il te dit. Je t'aiderai dans tes ministères. »

Les mots ne sauraient exprimer la beauté du Ciel. La paix et le bonheur qu'on y trouve dépassent un million de fois notre imagination. Notre-Seigneur est beaucoup plus beau que toutes les images connues. Son visage est radieux et lumineux, et beaucoup plus beau qu'un millier de levers de soleil. Les images que nous voyons dans le monde ne sont qu'une ombre de sa magnificence. La Sainte Mère était près de Jésus ; elle était si belle et si radieuse qu'aucune des images que nous voyons dans ce monde ne peuvent se comparer à sa beauté. Le Ciel est notre vraie maison, nous sommes tous créés pour aller au Ciel et jouir de Dieu éternellement.

Puis, je suis revenu dans le monde avec mon Ange. Pendant que mon corps était à l'hôpital, le médecin a complété tous les examens et on m'a déclaré mort. La cause de la mort était l'hémorragie. Ma famille a été avertie et comme elle était loin, le personnel de l'hôpital a décidé d'envoyer mon cadavre à la morgue. Étant donné que l'hôpital n'avait pas l'air climatisé, ils craignaient la décomposition rapide de mon corps. Pendant qu'ils m'emmenaient à la morgue, mon âme est revenue dans mon corps. J'ai ressenti une douleur atroce à cause des nombreuses blessures et des os brisés. J'ai commencé à crier et les personnes ont eu peur et se sont enfuies en hurlant. L'une d'elles s'est adressée au médecin et lui a dit : « Le cadavre pousse des cris ! »

Le médecin est venu examiner mon corps et a déclaré que j'étais vivant. Puis il a dit : « Le Père est vivant, c'est un miracle, ramenez-le à l'hôpital. » De retour à l'hôpital, ils m'ont fait des transfusions de sang et j'ai été amené en chirurgie pour réparer les os brisés. Ils ont travaillé sur ma mâchoire inférieure, l'os pelvien, les poignets et ma jambe droite. Après deux mois, je suis sorti de l'hôpital, mais un médecin orthopédiste a dit que je ne marcherais plus jamais. Je lui ai répondu : « Le Seigneur qui m'a redonné ma vie et qui m'a ramené dans le monde me guérira. » De retour à la maison, nous avons tous prié pour un miracle. Même après un mois et les plâtres enlevés, je n'étais toujours pas capable de bouger. Mais un jour, pendant que je priais, j'ai senti une douleur extraordinaire dans la région pelvienne. Peu de temps après, la douleur a disparu complètement et j'ai entendu une voix qui disait : « Tu es guéri. Lève-toi et marche. » J'ai ressenti la paix et la puissance de la guérison dans mon corps. Je me suis levé immédiatement et j'ai marché. J'ai loué et remercié Dieu pour ce miracle.

J'ai rejoint mon médecin pour lui donner les nouvelles de ma guérison et il en a été stupéfait. Il a dit : « Votre Dieu est le vrai Dieu. Je dois suivre votre Dieu. » Le médecin était Indien (des Indes) et il m'a demandé de lui enseigner la foi de notre Église. Après quoi je l'ai baptisé et il est devenu catholique.

Suite au message de mon Ange gardien, je suis arrivé aux États-Unis le 10 novembre 1986 comme prêtre missionnaire... Depuis juin 1999, je suis pasteur de l'Église Sainte-Marie, Mère de Miséricorde, à Macclenny en Floride[114].

Père Jose MANIYANGAT[115]

---

114. Source : http://www.stmarymacclenny.com/french_story.htm
115. Un témoignage du même type est donné par le Père James MANJACKAL MSFS, dans un livret de 169 pages intitulé, *J'ai vu l'éternité,* Verbum Dei, 2014.

Deux homélies - méditations

Dimanche de Pâques

Ac 10, 34 ; 37-43 Ps 117 Col 3, 1-4 Jn 20, 1-9

Une brèche en notre terre

En ces jours-là, tout était comme d'habitude : la parole était au plus fort, la loi faisait fi des faibles, et les hommes de cœur subissaient des morts ignominieuses.

En ces jours-là, dire que *la vie des justes est dans la main de Dieu* n'avait guère de sens... Jésus lui-même en avait fait les frais, lui qui avait crié sur la croix : *Mon Dieu, mon Dieu, pourquoi m'as-tu abandonné ?* Cri terrible qui aboutira à l'espérance de la résurrection dans la conclusion du Psaume[116], mais l'espérance ne parvient pas à gommer ce cri de désespoir...

En ces jours-là, Jésus est au tombeau, tout est fini : la pierre est scellée, doublée d'une garde sourcilleuse...

Pourtant, en ce petit matin, où la nuit traîne encore, après l'effervescence des jours passés, Marie Madeleine se rend au tombeau.

Et ce jour-là, plus rien n'est comme d'habitude. Tout semble basculer comme cette lourde pierre qui a basculé pour laisser libre cours à la vie...

---

116. Psaume 22 (21), 2 (Psaume des agonisants dans la liturgie juive).

Ce jour-là, c'en est fini : le Père manifeste au monde que *la vie des justes est dans la main de Dieu* et que la terre ne saurait retenir Celui qui a mis en Dieu sa confiance.

Les premiers témoins, Marie Madeleine, Pierre et Jean, constatent que la terre est ouverte et le tombeau vide.

Frères et sœurs, le tombeau n'est plus le terme de notre voyage, il est devenu « passage ». Mystère éblouissant de ce passage du Fils de Dieu qui nous ouvre la voie…

Ce jour-là, dans une intuition vertigineuse, comme il y en a peu dans la vie d'un homme, dans un éclair de pensée fulgurant, Jean entend résonner en lui les paroles de Jésus ; elles prennent sens et, devant le vide du tombeau, il comprend le sens de l'aventure humaine : « Il vit et il crut. » C'est lui-même qui le dit : constat bref et radical s'il en est ! Plus rien ne sera comme avant : la Bonne Nouvelle est née…

Notre Dieu n'en finit pas de nous surprendre. Contemplant la vie et l'existence humaine, nous avons envie déjà de lui dire merci. Mais notre Dieu, Père de Jésus-Christ, fait plus encore. En Jésus, il nous ouvre l'espérance d'une vie nouvelle : quand nos forces chancellent et que le souffle de la vie nous quitte, Dieu lui-même nous recueille et nous accueille. Ainsi, cette vie que nous connaissons nous apparaît désormais comme une première étape. En Jésus-Christ nous découvrons que *nous sommes créés pour vivre, vivre encore, vivre toujours.*

La mort est là, certes, elle n'est pas éliminée, mais elle n'est plus la même ! Jadis, la mer ouverte était devenue

« passage » vers la liberté. Un peuple était né. Aujourd'hui, la terre ouverte devient « passage » de la mort à la vie. Une espérance est née…

Chrétiens, notre vie n'est pas plus facile que celle des autres. Nous sommes affrontés aux mêmes difficultés, mais une certitude nous guide : rien ne sera perdu de ce que nous faisons, de ce que nous vivons. Tout cela est le moyen de construire une vie nouvelle. Le passage par le tombeau – dans un creuset mystérieux – fera de nous cet homme, cette femme, qui s'avancera, au-delà de la brèche, dans la gloire de Dieu. Cette certitude nous donne une joie profonde et une espérance qui éclairent autrement notre vie…

En ce saint jour de Pâques, comme la terre ouverte livrait Jésus ressuscité, puisse le Seigneur, par le signe du Pain partagé, nous livrer son Esprit, et *faire de nous des vivants, dès maintenant, et pour la Vie qu'Il nous promet dans la Pâque éternelle…*

Le Christ est ressuscité, Il est vraiment ressuscité !
Amen ! Alléluia !

Commémoration
de tous les fidèles défunts

Sg 2, 23; 3, 1-6.9 Ps 4, 2.7.9 Rm 6, 3-9 Jn 4, 1-6

« Où sont-ils, et que sont-ils devenus, nos grands-parents, nos parents, nos époux ou épouses, nos frères, nos sœurs, nos enfants, nos amis et connaissances défunts que nous avons un jour accompagnés dans une Église, au funérarium ou au cimetière ? Où sont-ils et que sont-ils devenus ? Ils ont disparu, me répondront naturellement certains et c'est peut-être vrai. Car, quelque chose d'irréversible s'est passé. Nous ne les voyons plus. Ils ne nous parlent plus. Ils ne participent plus à nos activités. Ô mort, « perte irréparable[117] ! » Dans la douleur et la peine, dans le regret et l'impuissance, c'est ce que nous aussi nous pensons de la mort. Mais alors qu'est-ce que la célébration de ce 2 novembre, jour de commémoration des défunts peut nous apporter ? Sommes-nous réunis ici pour un souvenir du choc émotionnel du deuil ? Non !

Deux paroles viennent de tomber dans nos oreilles. Elles peuvent changer notre vision sur la mort. La première parole vient de la première lecture extraite du Livre de la Sagesse : *Quand ils nous ont quittés, on les croyait anéantis, alors qu'ils sont dans la paix de Dieu.* La deuxième parole est celle de l'évangile : *L'heure vient où les morts vont*

---

117. Victor Hugo, *À la mère de l'enfant mort.*

entendre la voix du Fils de Dieu, et ceux qui l'auront entendu vivront. Ces deux paroles ne sont pas une anesthésie de notre douleur face à la mort. Elles ne nous invitent pas à une pieuse consolation. Elles nous aident à réaliser qu'en fait la mort n'est pas un anéantissement. Mais comment cela est-il possible? Que croire quand nous professons la résurrection des morts et la vie éternelle? Que croire, que penser? Car, *la question essentielle posée à la vie, c'est la mort*[118]. Et notre foi en Dieu doit pouvoir répondre à cette question. Que dit-elle notre foi?

Avant d'y répondre, regardons de près l'expérience humaine[119]. L'homme redoute essentiellement deux choses: la solitude et la non-survie. Face à la peur de la solitude, l'homme se trouve une solution qui consiste à s'ouvrir à l'autre dans l'amitié, dans le mariage et tout ce qui peut l'aider à ne pas rester seul. Malheureusement dans le concret, l'on se rend compte que cette solution est limitée. Personne ne peut atteindre le plus intime de l'autre pour le combler. Toute vie à deux ou à plusieurs, toute rencontre si belle qu'elle paraisse ne fait qu'apaiser pour un temps la solitude. On se retrouve toujours seul avec soi-même, au fond de nos angoisses. Devant la seconde peur existentielle qui naît du fait qu'il ne résiste pas au temps, l'homme tente deux solutions. D'abord il se cherche une survie ou une certaine immortalité dans ses propres enfants. Mais très vite il constate que la survie dans les enfants n'est pas

---

118. J. Ratzinger, *Principes de la Théologie catholique*, p. 39.
119. *Cf.* J Ratzinger, *La foi chrétienne hier et aujourd'hui*, pp. 207-227.

authentique. Et il entreprend de subsister de lui-même. Il se réfugie alors dans l'idée de la gloire qui peut lui garantir la survie dans la mémoire des autres. Encore là il échoue. Car l'homme se rend compte qu'après sa mort, ce qui restera de sa gloire, ce qui demeurera ce n'est pas lui-même mais un simple écho de lui, une simple ombre. Pire, l'autre à qui on pensait confier sa survie tombera aussi en poussière. Double échec de l'homme.

C'est dans ces circonstances d'échecs que Dieu vient au secours de l'homme. Notre foi proclame qu'un jour Dieu s'est fait homme. Bien davantage, il a franchi la porte de la mort et en est sorti vainqueur. Il est descendu dans l'abîme de notre solitude. Là où l'autre homme ne pouvait entrer, Jésus y a pris place. Là où aucune parole ne pouvait nous atteindre, Lui qui est Parole est entré. Ce que nul regard ne pouvait sonder en l'homme pour le consoler, Jésus l'a vu et a compati. C'est ce que signifie la « descente aux enfers » exprimée dans notre *Credo*. La solitude de la mort a été visitée par Jésus. De plus, Lui, Jésus, qui est passé de la mort à la vie, peut assumer notre survie. Notre nom peut demeurer en Lui et transcender ainsi le temps. Ceux dont les noms demeurent toujours, s'appellent des saints. La fête de la Toussaint vient de nous le rappeler. Les saints, ce sont nos morts ; nos morts qui ne meurent pas dans nos pensées parce qu'ils vivent dans la pensée de Dieu. Mais comment cela est-il possible ? Eh bien tout cela est devenu possible à cause du GRAND AMOUR que Dieu nous a manifesté dans son Fils Jésus. Oui, l'amour crée l'immortalité. Il suffit de voir comment il est rare d'oublier ceux que nous avons aimés ou qui nous ont fait du bien. Il suffit aussi de constater que c'est l'amour qui assure la conservation de l'espèce. Sur le plan spirituel, c'est aussi par l'amour, le don de soi, le don de sa vie que le Christ réveille de la mort l'espèce humaine qui ne peut de soi se conserver éternellement. Ainsi lorsque nous disons que « l'amour est plus fort que la mort », ce n'est pas une simple formule mais l'expression d'une réalité qui prend tout son sens dans le Christ.

C'est aussi par rapport à l'amour qu'il nous faut comprendre tous les discours sur l'au-delà tels le « fameux » enfer, la résurrection, le paradis ou la vie éternelle. En effet, l'enfer n'est pas un feu physique, ni un lieu de torture préparé par Dieu pour nous punir[120]. L'enfer, c'est l'état de solitude qui refuse l'amour de Dieu. La résurrection et la vie éternelle, c'est l'état où l'amour de Dieu brise la solitude de la mort et devient notre milieu de vie. Tout cela commence au baptême, ce beau sacrement d'amour et d'alliance entre Dieu et l'âme humaine. Baptisés, notre vie est ouverte à Dieu et la mort ne peut pas nous replonger dans la solitude si nous restons unis à Lui par une vie toujours renouvelée, une vie qui n'a pas peur de recommencer, une vie qui se bat pour se relever et repartir, toujours les yeux fixés sur le Seigneur qui sans cesse nous appelle.

Enfin, notre relation avec nos défunts, ne se comprend aussi que dans l'amour. Même si nous devons rayer leur

---

120. Jean-Miguel GARRIGUES, *À l'heure de notre mort*, p. 126.

numéro de téléphone et leur adresse sur nos agendas, même s'il faut ranger leurs vêtements et fermer leur appartement, ces derniers gestes qui les excluent de notre quotidien[121] nous amènent à les chercher et à les retrouver auprès de Dieu à travers « notre » prière et la messe, « le sacrifice sauveur de Jésus ». Ces deux moments nous unissent à Dieu et à tous ceux qui sont en Lui. Alors, ce 2 novembre est le temps de communion et de dialogue avec nos défunts dans l'amour. Retrouvons-les plus que jamais et laissons-nous porter par l'amour de Dieu qui nous réunira tous en lui.

Seigneur accorde à nos défunts le repos éternel et que brille à leurs yeux la Lumière sans déclin ; cette Lumière qui est entrée dans leur vie le jour de leur baptême, le jour du commencement de leur vie en Toi et avec Toi.

Abbé Innocent Essonam Padanassirou

---

121. *Ibidem*, pp. 147-148.

Conclusion

La mort qui semble, vue de ce côté,
comme une plongée dans l'ombre,
est une entrée éclatante dans la lumière de Dieu.
Pierre Sertillanges

On peut ne pas croire à une vie après la mort. La science médicale estime que la mort du cerveau est la fin de la vie. Pourtant, il se passe quelque chose de pas ordinaire au moment de la mort, qu'elle soit brutale ou non. Tous les témoignages de ceux qui ont vécu une EMI concordent pour dire qu'on ne bute pas sur une fin, mais qu'au contraire on débouche dans une sorte d' « antichambre » à la limite de deux mondes : le nôtre, celui qu'on a toujours connu, dont nous nous contentions jusque-là, qu'on a bien du mal à abandonner, et un autre, paradoxalement attirant pour ceux qui disent l'avoir vécu, qui récapitule de façon lumineuse toute notre existence et nous projette dans la Clarté d'un tout autre univers, inimaginable en soi. Comme une nouvelle naissance…

Les Expériences de Mort Imminente plaident donc pour l'existence d'un vécu personnel qui dépasse la mort clinique, rejoignant par là l'expérience chrétienne qui affirme que la vie personnelle n'est pas stoppée par la mort. Plus étonnant encore, beaucoup d'expérienceurs nous parlent d'états où l'on vit en présence de l'Amour absolu, de lieu de désolation ou de lieu de purification, concepts qui correspondent au Ciel, à l'Enfer et au Purgatoire, notions typiquement chrétiennes.

Bien sûr, il ne s'agit pas de tomber dans la crédulité. Il faut garder l'esprit critique, tant sur le plan de la raison que de la foi. Mais tous les témoignages et les études scientifiques actuelles concordent : *Les EMI sont aussi authentiques que toute autre perception humaine ; elles sont aussi indubitables que les maths, aussi vraies que le langage* dit le Dr Melvin Morse[122].

Sur le plan religieux, nous avons pu les confronter à la fois à la Parole de Dieu dans des passages variés des Écritures, à l'anthropologie chrétienne, aux expériences de guérisons miraculeuses, aux phénomènes des apparitions, ou, encore, aux surprenantes expériences mystiques qui ont jalonné l'histoire du christianisme : il n'y a pas d'antinomie. D'ailleurs, on peut se reposer sur saint Thomas d'Aquin, le docteur angélique, par un article de Howard Kainz[123] :

> Dans la *Summa theologica* saint Thomas fouille les Écritures, Aristote, saint Augustin et autres Pères de l'Église,

---

122. Auteur de plusieurs livres sur les EMI (*La divine connexion* et *le contact divin*, Le Jardin des Livres).
123. « Que ferons-nous au Paradis ? » *France Catholique*, Juin 2013.

et propose des conclusions semblant s'emboîter précisément dans la littérature sur l'expérience de mort imminente. Par exemple, il déclare que l'âme libérée du corps se trouvera en quelque sorte incomplète puisque par nature elle est attachée au corps, mais en même temps éprouvera une plus grande liberté de l'intelligence, car le poids et le souci du corps forment un voile sur la clarté de l'intelligence dans la vie présente.

Ainsi donc Thomas d'Aquin rejoint les témoignages unanimes des théoriciens de l'Expérience de mort Imminente sur la fantastique libération et l'illumination intellectuelle caractérisant la séparation [de l'âme et du corps]. L'âme étant séparée ne pourra avoir la moindre influence sur les objets. Ce qui reflète l'expérience des personnes décrivant l'EMI, se déplaçant à travers les murs ou autres obstacles [...] En définitive, il n'y aura pas de foi, puisque la foi concerne l'invisible, ni espérance, puisque l'espérance concerne ce qu'on n'a pas encore, mais uniquement amour, l'amour qui demeure dans la vie à venir et sera alors à la mesure du bonheur des individus : « Plus grand aura été l'amour accompagnant nos actions sur terre, plus grand sera notre bonheur venu de Dieu. »

Il se peut que l'EMI nous donne une indication sur ce que pourrait être l'entrée dans la vie au-delà. Mais puisque rien d'impur ne peut se présenter face à Dieu, la plupart d'entre nous feraient bien d'apprendre tout doucement à perdre un bon paquet de mauvaises et si agréables habitudes.

Ainsi, si les EMI rejoignent l'enseignement traditionnel de l'Église catholique, *on peut aujourd'hui, même sans être croyant et sans croire à la Résurrection du Christ, admettre qu'il y a une vie après la mort.* Dans la mesure où nous aurons essayé d'éviter le mal et d'aimer en vérité, notre mort ne sera pas une impasse ou la chute dans un néant absolu, mais une irruption dans un lieu non pas forcément idyllique (où nous posséderions tout ce que nous n'avons pas eu durant notre parcours terrestre)[124], mais dans la béatitude éternelle en présence du Dieu de Miséricorde, dans une union intime avec le Créateur lui-même : le Ciel attend *ceux qui meurent dans la grâce et l'amitié de Dieu, qui sont parfaitement purifiés et vivent pour toujours avec le Christ. Ils sont pour toujours semblables à Dieu parce qu'ils Le voient « tel qu'Il est » (1 Jn 3, 2), face à face*[125].

En effet, *par sa mort et sa résurrection, Jésus-Christ nous a ouvert le Ciel*[126], il a anéanti la mort pour nous. Sa résurrection est la promesse de la nôtre. Nous serons vivants à jamais. *La vie est plus forte que la mort.* La mort est un passage, une étape. Une autre Vie nous attend, plus belle, plus pleine, plus merveilleuse.

Bien sûr, s'il faut passer par la mort qui est malheureusement une séparation, une brisure de l'amour humain, les EMI apportent aussi le témoignage bouleversant que

---

124. Comme le décrit le Coran qui prévoit un paradis décrit comme le lieu d' «un bonheur sans limite » (9, 72), de toutes les jouissances, vision platement matérielle et non surnaturelle...
125. CEC n° 1023.
126. CEC n° 1026.

nous allons retrouver ceux que nous avons aimés en cette vie, ceux que nous avons aimés *en Dieu* : si on aime, alors nous ne perdrons jamais aucun de ceux que nous avons ainsi aimés. C'est la promesse du Christ : *l'amour est plus fort que la mort* et nous retrouverons dans l'au-delà, dans une autre vie, ceux que nous avons aimés en cette vie, ce qui rejoint le dogme catholique de la « Communion des saints ».

Et si, en ce nouveau millénaire, nous avons ainsi *une confirmation de ce qu'a toujours enseigné le christianisme*, pourquoi le refuser ? D'autant – c'est la force et la spécificité de la foi chrétienne – que l'Église nous donne gratuitement tout ce dont nous avons besoin pour mener justement une vie qui nous ouvre à la béatitude éternelle, que ce soient les sacrements (spécialement le Pain eucharistique, aliment pour la Vie), la sanctification du temps (par la liturgie), la prière, l'agir droit et libre qui réalise le double commandement de la charité (*Tu aimeras Dieu et ton prochain comme toi-même*).

Certes, notre société si experte pour tant de choses dans tant de domaines, jusqu'à manipuler l'être humain lui-même, se heurte à la mort comme à une absurdité. On en arrive même aujourd'hui à promouvoir *la mort de la mort* grâce aux technologies NBIC (nanotechnologies-biotechnologies-informatique-cognitique et intelligence artificielle) du transhumanisme : « La science-fiction d'hier veut devenir médecine réalité[127] » ! Ou alors, on voudrait

---

127. www.tedxparis.com et Laurent ALEXANDRE : *La mort de la mort : comment la*

décider de l'heure de la mort. L'euthanasie ou le suicide assisté ne sont-ils pas une façon d'escamoter la mort en la provoquant? Ne devrions-nous pas refuser qu'on nous *vole notre mort*, ce temps si important, précieux, unique, où se récapitule toute notre vie pour le passage dans l'autre?

La foi chrétienne considère le moment de la mort comme fondamental, comme un temps à vivre, à bien vivre dans toute la mesure du possible en s'y préparant et en priant pour demander « la grâce d'une bonne mort ». Combien avons-nous raison d'invoquer chaque jour la Vierge Marie pour nous accompagner « maintenant et à l'heure de la mort », les deux moments les plus importants de notre vie! Oui, Dieu, le Christ, la Vierge Marie, les anges et les saints du Ciel[128] se précipiteront à notre chevet dans les moments précédant immédiatement la mort. Le Diable aussi, cherchant à nous tourmenter pour nous faire rater *ce rendez-vous d'amour absolu*, réclamant de notre part détachement total, abandon, confiance et offrande[129].

En fait, ceci amène à s'interroger sur la vie: cette vie à laquelle nous tenons tant – et nous avons raison –, pouvons-nous vraiment la cerner?

Elle est en fait parfaitement invisible, toujours mystérieuse...

---

technomédecine va bouleverser l'humanité, Jean-Claude Lattès, 2011.

128. En particulier *saint Joseph*, patron de la bonne mort. Sans oublier le *chapelet de la Miséricorde* reçu par sœur Faustine du Christ lui-même qui lui dit: « Les âmes qui réciteront ce chapelet seront enveloppées par Ma Miséricorde pendant leur vie et surtout à l'heure de la mort » (PJ 754).

129. Combien importantes sont la tendresse et la prière de ceux qui veillent le mourant!

On remarque que l'instinct de vivre et de survivre est le moteur premier de tout le monde des vivants, que dans les espèces les plus frustes comme dans celles plus élaborées, que dans les plus profonds abîmes ou sur la surface de la terre, tout s'ordonne à la transmission de la vie. Elle semble bien, dans l'univers, la valeur suprême, absolue.

Pourtant la vie est un concept qui paradoxalement échappe à la science qui n'arrive pas à définir ce qu'est la vie en soi. On ne trouve pas la vie sous le scalpel ni sous le microscope. Il n'y a pas de trace de vie, il n'y a pas de vestige de vie... La vie ne se révèle que dans les vivants. L'être vivant s'observe et c'est l'objet de la biologie, mais la vie ne s'observe pas, elle s'éprouve (dans le présent surtout, *dans l'instant présent*).

Pour qu'il y ait la vie sur terre, on admet aujourd'hui qu'il fallait une chance sur des milliards et des milliards. Ce qui est quasi impossible... Il fallait un vrai miracle...

Cette vie qui assure la continuité de la personne son existence durant, nous ne l'avons pas acquise ni par nos propres efforts ni par nos mérites! Elle ne vient pas de nous, nous ne nous la donnons pas à nous-mêmes. *La vie est un cadeau, reçu gratuitement.* Quelqu'un nous l'a donnée. Nos parents, certes, nous l'ont transmise, mais *la source de toute vie ne peut être que Dieu lui-même*, Créateur et Père de tout l'univers, visible et invisible.

Alors, franchement, si Dieu, qui est l'Amour absolu, donne la vie, comment imaginer qu'il puisse nous la reprendre ? Non, Il la donne et donne encore, et ce, pour l'éternité !

Ces *EMI*, qui ne peuvent qu'être reçues (on ne peut les faire surgir par notre propre volonté), sont donc des **signes de vie** venant de l'au-delà, qui ouvrent sur une réalité invisible. Peut-être ferions-nous mieux de les appeler plutôt des « *OVI* » ou « *Ouverture sur la Vie Invisible* »

Je suis persuadé que ces ouvertures sont un *signe des temps* pour nous hommes du début d'un millénaire en proie au doute : elles ont certainement beaucoup à nous apprendre sur notre nature et notre destinée humaines. Plus encore, je crois que dans notre monde d'incroyance, refermé sur lui-même, où l'on vit comme si Dieu n'existait pas, les EMI sont des *signes du Ciel* pour réveiller notre intérêt aux choses invisibles : en cette époque où l'homme occidental a chassé du Ciel tous les êtres qu'il avait cru y voir, où la mort, considérée comme malsaine, est censurée, bannie, voilà que – paradoxalement, par une voie nouvelle en lien avec notre époque – ce Ciel se repeuple ! Dieu n'a pas dit son dernier mot, pourquoi ne ferait-il pas signe aujourd'hui de cette façon ?

Les EMI nous font prendre conscience que nous sommes des passants et pèlerins sur cette terre pour nous préparer à une autre réalité. À chaque instant, si tous les actes que je pose jour après jour sont vécus dans l'amour, quand je donnerai mon dernier souffle, l'acte le plus important de ma vie, je pourrai plonger sans crainte dans l'océan d'Amour de la Miséricorde divine.

Conclusion

Si le Christ est en vous, votre corps a beau être voué à la mort à cause du péché, l'Esprit est votre vie, parce que vous êtes devenus des justes. Et si l'Esprit de celui qui a ressuscité Jésus d'entre les morts habite en vous, celui qui a ressuscité Jésus d'entre les morts donnera aussi la vie à vos corps mortels par son Esprit qui habite en vous. Rm 8, 10-11

Épilogue

La gorge tranchée

Cette histoire associe de façon exceptionnelle EMI et guérison. Elle peut paraître ancienne, datant de 1858, mais n'est pas contestable de par les recoupements effectués.

Il s'agit de Mariam Baouardy née en 1846, de famille pauvre, très croyante (de rite grec-melkite catholique) en Palestine, en Galilée. Entrée à l'âge de 20 ans au Carmel de Pau[130], elle prend le nom de *sœur Marie de Jésus crucifié*, mais dénommée par ses sœurs *la petite Arabe,* très humble (elle-même se disant *le petit rien*), elle reste toute sa vie « sœur converse » vu son ignorance, son incapacité à lire, à écrire, à étudier, à chanter l'office.

Pratique, les pieds sur terre, Mariam fut une robuste bâtisseuse, à l'origine de la fondation du Carmel de Mangalore en Inde, puis du Carmel de Bethléem où elle mourut à l'âge de 33 ans (le 26 août 1878) des suites d'un accident.

Comme on le voit, ce n'était pas une « illuminée », mais elle a bénéficié d'un grand nombre de manifestations

---

130. Habitant Pau, on peut comprendre que je suis particulièrement attaché à cette sainte dont on ne peut que tomber amoureux quand on la découvre.

mystiques extraordinaires tout au long de son existence[131] qui ont été particulièrement bien étudiées.

La documentation sur sa vie est aussi sérieuse qu'abondante, avec des sources accessibles, dont sa biographie réalisée par plusieurs auteurs sûrs, à commencer par le père Estrate, son père spirituel qui a mis par écrit tout ce qu'il a connu d'elle sur l'ordre de l'évêque de Bayonne de l'époque, Mgr Lacroix. Il ne peut donc y avoir aucun doute sur les événements qu'elle a vécu. Je tire son histoire de l'excellent livre du père Amédée Brunot, s.c.j. qui donne toutes ses références[132].

Orpheline à l'âge de trois ans, ses parents adoptifs partent se fixer en Égypte à Alexandrie et, dès l'âge de 13 ans, suivant la coutume, sans la consulter, veulent la fiancer à un oncle. Mariam refuse absolument. L'oncle, furieux, choisit de la traiter comme une esclave pendant trois mois. Personne ne cède. Voulant rejoindre son petit frère resté en Galilée, elle se sauve un soir pour rejoindre un ancien domestique de la famille, un musulman qui s'apprête à partir pour Nazareth. Celui-ci cherche à lui faire abandonner sa foi catholique pour devenir musulmane. C'en est trop pour ce tempérament de feu qui rejette avec véhémence cette idée. Furibond de se voir remis en place par cette petite chrétienne, l'homme ne se retient pas, dégaine son cimeterre et tranche la gorge de l'adolescente. Il l'enveloppe dans son grand voile et, aidé de sa mère et de sa

---

131. Rarement réunis en une seule personne…
132. *Mariam, la petite arabe. Sœur Marie de Jésus crucifié*, A Brunot, Salvator, 1981.

femme, dépose son corps ensanglanté dans une ruelle obscure.

Ce drame se passe dans la nuit du 7 au 8 septembre 1858.

Voici le récit du père BRUNOT : « Obligée, plus tard, par obéissance, de raconter son martyre, Mariam affirmera qu'elle était réellement morte. À sa maîtresse des novices de Marseille, qui lui demandera si elle avait subi le jugement particulier, elle répondra :

> Oh !, non, mais je me suis retrouvée au Ciel. J'ai vu la Sainte Vierge, les anges, les saints m'accueillir avec une grande bonté, et je voyais aussi mes parents en leur compagnie. Je voyais le trône éclatant de la très sainte Trinité, Jésus-Christ notre Seigneur en son humanité. Point de soleil, point de lampe ; mais tout était brillant de clarté. Alors quelqu'un me dit : « Vous êtes vierge, c'est vrai, mais votre livre n'est pas achevé. »

Voilà pour l'EMI. La suite mérite d'être racontée. La vision éteinte, Mariam se trouve dans une grotte. Près d'elle, une religieuse aux vêtements d'azur. Celle-ci lui dit l'avoir ramassée dans la ruelle, l'avoir portée dans cet abri et lui avoir recousu le cou tranché. Cette mystérieuse sœur de la charité aux habits bleus se montre d'une délicatesse extraordinaire. Elle parle très peu, elle humecte les lèvres de l'enfant avec du coton, elle la fait dormir, lui donne une soupe délicieuse pour la revigorer. Elle ne ressemble à aucune autre religieuse [...].

Quand la blessure est cicatrisée, la religieuse fait sortir Mariam de la grotte; elle la conduit dans l'église Sainte-Catherine, desservie par des franciscains; elle appelle un confesseur. Quand Mariam sort du confessionnal, elle se retrouve seule. L'infirmière aux vêtements d'azur a disparu!

Qui donc était-elle? En 1874, en la fête de la nativité de Notre Dame, anniversaire du martyre et du miracle, Mariam dira en extase: *En pareil jour, j'étais avec ma Mère. En pareil jour, j'ai consacré ma vie à Marie. On m'avait coupé le cou et demain Marie m'avait prise.*

Un peu plus tard, en août 1875, alors qu'elle naviguait vers la Palestine, racontant ses souvenirs au père ESTRATE, elle précisera: *Je sais à présent que la religieuse qui m'a soignée après mon martyre était la Sainte Vierge.* Au cours de l'escale d'Alexandrie avec l'essaim de carmélites parties fonder le carmel de Bethléem, Mariam conduira cette petite caravane visiter l'église Sainte-Catherine et la petite grotte transformées en salles par les Grecs catholiques.

Et le père BRUNOT de poser une question essentielle:

Quelles garanties avons-nous pour admettre un tel merveilleux? Il est sûr que nous n'avons qu'un témoignage: celui de Mariam. Le meurtrier ne s'est évidemment jamais fait connaître. La religieuse qui s'occupa de cet enfant n'a jamais révélé son identité: on devine pourquoi! Quant aux parents de l'orpheline, ignorant tout de la tragédie, ils pensèrent que Mariam s'était enfuie pour échapper aux mauvais traitements et, peut-être, pour se livrer au désordre dans la ville d'Alexandrie. Ils avaient tout intérêt à faire le silence sur cette malheureuse ! Elle ne pouvait leur procurer que du déshonneur.

Il reste donc le témoignage de Mariam. Celui-ci est confirmé par le sérieux, la sincérité, l'humilité de toute sa vie, comme l'attestent les témoins. Plusieurs détails seront, plus tard, confirmés par son frère Boulos : il reçut en effet la fameuse lettre de sa sœur. Il répondit à l'appel en faisant le voyage d'Alexandrie, mais, n'ayant pas retrouvé sa sœur chez l'oncle, il repartit pour la Galilée.

Un fait sera irrécusable : la cicatrice du cou. Elle sera constatée au cours des nombreuses maladies de Mariam par des médecins et des infirmières tant à Marseille qu'à Pau, à Mangalore et, enfin, à Bethléem. Cette cicatrice mesurait 10 cm de long sur 1 cm de large : elle marquait tout le devant du cou ; la peau y était plus fine et plus blanche. Il manquait plusieurs anneaux de la trachée-artère, comme le constatera le médecin de Pau, le 24 juin 1875. La maîtresse des novices écrira : « Un célèbre docteur de Marseille, qui l'avait soignée, avait confessé, quoique ce fut un athée, qu'il devait y avoir un Dieu, car, naturellement, elle ne pouvait vivre. » À la suite de cette entaille profonde, Mariam gardera une voix brisée.

Le père BRUNOT conclut : *Le martyre de la petite Arabe n'avait pas été un rêve. Il restait inscrit dans sa chair.*

Il faut savoir aussi qu'ayant le cœur pur par excellence, Mariam qui a vu les réalités célestes (la Vierge lui a montré le Ciel, l'enfer et le Purgatoire!) en a rendu témoignage par toute sa vie.

Elle a été béatifiée par Jean-Paul II en 1983 et canonisée le 17 mai 2015 par le pape François.

Une prière

En l'église Saint-Jacques de Pau
pendant la Semaine sainte
à la 12ᵉ station du Chemin de Croix

Seigneur, notre maladie de gens bien nourris, bien logés, confortablement installés, est de craindre la mort. Toi qui es mort et qui vas ressusciter, apprends-nous à aimer la mort. C'est notre deuxième berceau. Donne-nous les pas fermes qui marchent vers elle. Elle mène à la vie parfaite. Et puis, apprends-nous cette insatiable curiosité de l'au-delà : « Là-haut, tout ne sera qu'Amour. » Donne à nos pas, à nos gestes, à notre cœur, ce parfum d'amour qui anticipera le paradis. Nous vivrons alors dans la joie.

Pour aller plus loin...

Catéchisme de l'Église Catholique

- Article 11 : *Je crois à la résurrection de la chair,* n° 988 à 1019.
- Article 12 : *Je crois à la vie éternelle,* n° 1020 à 1060.

Livres sur les EMI

En français, ils sont déjà extrêmement nombreux. Voici ceux que j'ai retenus :

La vie après la vie, Dr MOODY, édition J'ai lu, 2003.

Bien réel le surnaturel, Marc MENANT et Serge TRIBOLET, Éditions Alphée-Jean-Paul Bertrand.

Ces EMI qui nous soignent, Eric DUDOIT et Éliane LHEUREUX, S17 Production, 2013.

Des enfants dans la lumière de l'au-delà, Melvin MORSE, Robert Laffont, 1992.

Du cerveau à Dieu, Mario BEAUREGARD et Denyse O'LEARY, Éditions Guy Trédaniel.

D'une vie à l'autre, Evelyn ELSAESSER-VALARINO, Dervy, 1999.

Entre épreuve et lumière, Jacques FUSTEC, S17 Production, 2010.

La mort est un nouveau soleil, Elisabeth KÜBLER-ROSS, Pocket.

La mort n'est pas une terre étrangère, Stéphane ALLIX.

L'autre côté de la vie, Philippe RAGUENEAU, Pocket, 2001.

Les 7 bonnes raisons de croire à l'au-delà, Jean-Jacques CHARBONNIER, Aventures secrète, 2014.

L'expérience de mort imminente, Jocelin MORISSON, La Martinière, 2015.

Mort ou pas?, Pim VAN LOMMEL, Inter Editions-Inrees, 2012.

Souvenirs de la mort, Michael SABOM et Sarah KREUTZINGER, Robert Laffont, 1983.

Un aller et retour, Dominique BROMBERGER, Ed. Robert Laffont, 2004.

L'évidence de l'après-vie, Dr Eben ALEXANDER et Dr Raymond MOODY, avec une postface de Jean Staune, Guy Trédaniel, 2014.

Des ouvrages chrétiens sur la mort et sur l'au-delà

Aussitôt après la mort. Recherche biblique, Roger KLAINE, Cerf, 2011.

Ce qui nous attend après la mort, Natahanel PUJOS, Ed. Parole et Silence, 2012.

Dis, Dominique, la mort, c'est comment?, Joël PRALONG, Ed. Parole et Silence, 2012.

Espérance et dignité pour les fins de vie. Approches chrétiennes de la mort, Documentation catholique, n°2498, 21 octobre 2012.

Je veux mourir vivant, Abbé Hubert LELIÈVRE, Ed. de l'Emmanuel, 2011.

La mort, et après?, Michel AUPETIT, Salvator, 2009.

« La mort n'est pas mortelle », Fraternités monastiques de Jérusalem : *Sources vives* n° 127 – avril 2006.

La mort: témoignages de vies!, Thierry FOURCHAUD, Collection La Bonne Nouvelle, 2009.

La résurrection des morts: et si c'était vrai?, Jean CIVELLI, Éditions Saint-Augustin, 2001.

« L'au-delà. L'avenir des vivants », Numéro de juillet 2012 de la revue *Christus,* n° 235.

L'au-delà retrouvé, Gustave MARTELET s.j., Desclée, 1998.

L'enfer – affronter le désespoir. Le purgatoire – traverser le feu de l'amour. Le paradis – goûter la joie éternelle, Jean-Marc BOT, Éditions de l'Emmanuel, 2014.

Le purgatoire. Fortune historique et historiographique d'un dogme, Guillaume CUCHET (coll.), Ed. Ehess, 2012

Ne pleurez pas, la mort n'est pas triste, Élisabeth MATHIEU-RIEDEL, Mame/Criterion, 1997.

On a planté grand-père, Semailles d'Évangile en bord de Marne, Jean-Noël BEZANÇON, DDB, 2011.

« *36 questions sur l'Au-delà* » Numéro spécial de *Il est Vivant*, octobre 2001.

Des ouvrages sur l'âme vitale et l'anthropologie ternaire

Il n'y a que deux jours, Henri GAVIGNET, Téqui, 1981.

Les livres de Claude TRESMONTANT (la plupart chez F-X de Guibert).

Les livres de Michel FROMAGET dont *L'homme tridimensionnel* « *corps, âme, esprit* », Albin Michel, 1996.

DVD

Faux départ. Enquête sur les expériences de mort imminente, Sonia Barkallah - S17 Production.

Le commun des mortels, Documentaire - Réalisation Alice Bonneton et Sylvain Sismondi, une coproduction Grand Angle Productions, KTO, BIGLO et Armide Productions, 2011. www.ktotv.com

J'ai frôlé l'enfer, le témoignage de Gloria Polo existe en DVD, édition des Béatitudes, Maria Multi Media.

CD audio

Et après ma mort ? (4CD), Jean-François (Doudou) Callens – Maria Multi Media.

Gloria Polo et les dix commandements, Sœur Emmanuel Maillard - Maria Multi Media

Série « Et si demain, j'allais au Ciel ? » (2CD), Sœur Emmanuel Maillard – Maria Multi Media.

Maryam la petite arabe (2CD), Sœur Emmanuel Maillard – Maria Multi Media.

Sites Internet

www.nderf.org/French : rassemble le plus grand nombre de récits d'EMI au monde (plus de 3 000 dont 700 en français).

www.s17production.com : site de Sonia Barkallah.

www.issnoe.ch : Institut Suisse des sciences noétiques.

http://www.tvqc.com/2013/12/la-vie-apres-la-mort-documentaires-sur-les-experiences-de-morts-imminentes/

Avec une mention spéciale pour le témoignage de Natalie Saracco :

- soit sur YouTube : www.youtube.com
- soit sur KTO : http://www.ktotv.com/
  videos-chretiennes/emissions/nouveautes/
  un-coeur-qui-ecoute-natalie-saracco

Table des matières